De ontvoerde prins

Ander werk van Karlijn Stoffels

Mosje en Reizele (1996) Gouden Zoen 1997
Marokko aan de Plas (2002)
Foead en de vliegende badmat (2004)
Jenny Smelik-IBBY prijs 2006
Koningsdochter, zeemanslief (2005)
Vrederik, het dappere soldaatje (2007)
Het geheim van het gestolen grafbeeld (2007)
De verdwenen diamanten (2008)
Tegen de muur op (2009)

Karlijn Stoffels *De ontvoerde prins*

Amsterdam · Antwerpen
Em. Querido's Uitgeverij BV
2009

www.karlijnstoffels.com
www.queridokind.nl

Omslagillustratie Georgien Overwater
Omslagontwerp Studio Jan de Boer

ISBN 978 90 451 0989 3 / NUR 283

Het was midden in de nacht. De maan scheen, maar verder lag Huize Boegbeeld in het donker. Alle kinderen en grote mensen sliepen. Allemaal? In een van de kamers in de zijvleugel flakkerde het zwakke vlammetje van een kaars, en op het tuinpad aan de achterkant dansten flauwe lichtjes.

Boven de hoofdingang hing het boegbeeld van de zeemeermin, waaraan het internaat zijn naam dankte. Haar blauwe ogen keken ongerust omlaag, naar de schimmige gestaltes die langsslopen. Ze verdwenen een voor een door het open raam van de kamer waar de kaars brandde. Toen was alles weer rustig.

Alles? Aan het eind van de oprijlaan stopte een auto. Er klonk gefluister. Twee gedaantes kwamen onhoorbaar zacht aangelopen. Het waren mannen met een donker joggingpak aan en een bivakmuts over hun hoofd.

De grootste van de twee bleef bij de ingang op de uitkijk staan. De ander haalde een touw tevoorschijn, een lap en een flesje, en rende vlug maar geluidloos naar de zijkant van het internaat. Hij gooide het open raam nog wijder open, klom naar binnen en vloekte.

In plaats van die ene slapende jongen, die hij met gemak had kunnen overmeesteren, zag hij de open monden en verbaasde ogen van vijf in pyjama gehulde jongens.

Ze hielden stiekem een verjaardagsfeestje. De jarige zat op zijn bed tussen proppen cadeaupapier. De bezoekers zaten op de grond rondom een berg snoep en een stapel stripverhalen. Sommige jongens hadden een gameboy bij zich.

De jongens schrokken niet eens. Als ze al gevaar verwachtten was dat van de kant van de kamerdeur, waar een oplettende verzorgster, of misschien Roeland zelf, de huisvader van het internaat, binnen kon stormen om het heimelijke fuifje op te breken.

Ze hadden afgesproken dat ze nooit iets over hun nachtelijke bijeenkomst zouden zeggen, tegen niemand, onder geen voorwaarde. Want als de leiding van het tehuis hun ouders zou waarschuwen, dan zouden ze flink op hun kop krijgen. En aan het eind van de week begon de meivakantie. Dan gingen de meeste jongens naar huis.

Daarom waren ze door de tuindeuren naar buiten geglipt, en daarom hadden ze een zaklantaarn bij zich. Die richtten ze nu allemaal tegelijk op de ongenode gast. De jongens zagen een bivakmuts en donkere, woedende ogen. De indringer zag helemaal niets. Hij werd verblind door de bundels licht.

Toen de kidnapper met driftige bewegingen weer door het raam naar buiten was geklommen en zich uit de voeten had gemaakt, raapten de jongens hun spullen bij elkaar en doofden de kaars en hun zaklantaarns.

'Was dat een dief?' fluisterde er een.

'We moeten de huisvader waarschuwen,' zei een ander.

'Nee,' zei de jongen op het bed. 'Dat is veel te gevaarlijk. Dat leg ik later nog wel uit.'

De anderen zwegen, onder de indruk. En in het donker zwoeren ze plechtig met de tien handen op elkaar dat uit hun mond niemand ooit iets te horen zou krijgen over dit onverwachte bezoek.

Toen kropen vier van de vijf het raam uit en liepen ze dicht bij elkaar terug naar hun eigen kamers.

'Jongens,' zei Moerad, 'vrijdag begint de meivakantie! Ik kan die school langzamerhand wel schieten.' Hij pakte nog een boterham, deed er pindakaas en ontbijtkoek op en het laatste restje van de chocoladevlokken. 'Ik zal Kokkie vragen of ze een hele kist met vlokken wil bestellen. Ze zijn altijd op.'

'Ons tafelgroepje gaat failliet als je zo doorgaat met bunkeren,' zei Josie. 'Dan moeten onze ouders een hoger maandgeld aan het internaat betalen, alleen omdat jij denkt dat boterhammen ezels zijn.'

'Ezels?' vroeg Moerad.

'Met van die ladingen op hun rug,' zei Josie.

'Poeh,' zei Moerad. 'Jij eet ham op brood, dat is veel duurder.'

Josie snoof. 'Dat is geen eten daar op jouw bord, maar de toren van Pisa!'

'Nou,' zei Peter, 'met die boterhammen van Moerad kom je tenminste nog eens ergens.' Peter was in een goed humeur. Zijn moeder, die fotomodel was, had een weekje in een hotel vlak bij het internaat gelogeerd en Peter had haar elke dag gezien.

Nu was ze weg, en dat was jammer, maar hij had een heleboel foto's van haar gemaakt waar ze op stond zoals niemand haar ooit in de modebladen kon zien. Gapend en half wakker in een oude pyjama, met ongekamde haren, en diep in slaap met haar vuist tegen haar wang, zodat haar mond scheef hing. Dat was de Shirley die alleen Peter kende.

Moerad propte zijn zwaarbeladen boterham met smaak naar binnen.

'Met volle mond de wereld rond,' zei Josie.

Moerad stond op en pakte de chocoladevlokken van hun buurtafel.

'Hé,' zei Fiona, de tafeloudste van het groepje.

'Jullie eten dat toch niet,' zei Moerad.

Aan Fiona's tafel was een lege stoel, en er zaten twee jongens met spierwitte gezichten achter een schoon bord. De lege stoel was versierd met slingers en ballonnen.

'Vanmorgen waren er vijf jongens ziek,' zei Fiona tegen Moerad. 'Allemaal misselijk.' Ze keek de eetkamer rond. 'Er ontbreken er nog steeds een paar. Zelfs de jarige Ari.'

'Als dat geen stiekeme pyjamaparty geweest is, weet ik het niet,' zei Josie.

'Niet zo hard,' zei Moerad.

'Ik praat zo hard als ik wil,' zei Josie.

Moerad gebaarde naar de verzorgster die verderop zat. 'Stiekeme pyjamaparty's zijn geheim,' zei hij zacht. 'Of ben je een klikspaan?'

Josie zweeg beledigd.

Yoe Lan had helemaal niet naar de anderen geluisterd. 'Ik ben altijd zo blij als het woensdagmiddag is,' zei ze dromerig. 'Dan kan ik uren en uren met Woelf gaan wandelen!' Woelf hoorde bij een boerderij in de buurt, maar Yoe Lan had de herdershond getemd en nu was hij ook een beetje van haar.

'Vanmiddag moeten we de puzzelrit gaan uitzetten,' zei Peter. 'Weet je nog?' Hij zat in de tweede van de middelbare school, maar gelukkig had hij op woensdag een kort rooster. Die middag waren ze allemaal vrij.

Josie zat in de brugklas, en Moerad zou volgend jaar van de basisschool gaan. Yoe Lan was acht.

Ze waren de puzzelrit allemaal vergeten, behalve Peter. Ze hadden de huisvader beloofd er een te maken voor het hele tehuis. Maar toen waren ze op het spoor van diamantsmokkelaars gekomen. En telkens als ze op avontuur waren geweest, en te laat thuiskwamen, hadden ze Roeland wijsgemaakt dat ze aan de puzzelrit werkten. Maar dat hadden ze helemaal niet gedaan. En daarom moesten ze die nu op hun vrije middag gaan uitzetten.

'Woelf mag straks toch wel mee?' vroeg Yoe Lan. 'Hij blijft netjes naast mijn fiets lopen hoor. Dat heb ik hem allang geleerd. En ik ben hem ook aan het leren om te spoorzoeken.'

'Je moet die hond van je leren lezen en schrijven,' zei Josie, 'dan kan hij voortaan mijn strafwerk maken. Ik heb weer zo'n berg!'

'Tafel afruimen en aan de slag!' zei Peter. 'We hebben maar één middag.'

Yoe Lan bracht de borden weg. Kokkie liep te zingen in de keuken. 'Stop het in de wasmasjien, stop het in de wasmasjien,' zo klonk het ongeveer. Yoe Lan vond het een vreemde tekst voor een liedje, maar wel grappig.

'Kokkie, wat ben je vrolijk,' zei Peter. 'Ga je soms naar Suriname deze vakantie?'

'Ach, me schat,' zuchtte Kokkie. 'Switi Sranan, mi lobi yu! Maar voor die twee weken, dat is me echt te duur, hoor.' Haar gezicht klaarde op. 'M'n grote zus, die komt eind van de maand over uit Paramaribo! Díé kan lekker koken!'

'Niemand kookt lekkerder dan jij,' zei Peter.

'Aha!' zei Kokkie. 'Jij hebt zeker weer wat van me nodig, vleier!'

'Dat ook,' zei Peter. 'Maar toch meen ik het. Mogen we drinken voor onderweg? We gaan eindelijk de puzzelrit afmaken.'

Kokkie gaf hem wat pakjes vruchtensap en een zakje stroopwafels.

'Kokkie, you're the best!' zei Peter.

'Dat komt, jullie hebben maar één kokkin,' zei Kokkie. 'Wacht maar tot je de hapjes van mijn zus proeft.' Maar ze straalde van plezier.

Eerst fietsten ze langs de slager voor een bot, en toen haalden ze Woelf op. De grote zwarte herdershond sprong tegen de tralies van zijn hok toen hij de kinderen zag.

Yoe Lan schoof de grendel weg en legde het bot voor Woelf neer.

Woelf liet het heerlijke hapje gewoon liggen. Hij sprong tegen Yoe Lan op en likte haar waar hij maar een stukje bloot vel vond.

'Niet in mijn gezicht!' zei Yoe Lan. 'Kom op, Woelf, we hebben geen tijd om te spelen.' Ze maakte de riem vast en liep met hem het hok uit. Woelf keek verlangend achterom naar zijn bot, maar nu was het te laat.

Ze pakten hun fietsen en gingen bij elkaar staan om te overleggen. Woelf trok aan zijn riem, hij wilde rennen en snuffelen en overal een plas doen.

'Laat hem maar even los,' zei Peter. 'We zijn nog niet weg.'

Woelf likte dankbaar Peters hand en ging er toen als een haas vandoor.

Peter had de rit al een beetje voorbereid. 'Ik heb op de kaart gekeken,' zei hij, 'om te zien wat een mooi rondje is voor op de fiets. Niet te lang en niet te kort.'

'Als jij alles al gedaan hebt,' zei Josie, 'dan kan ik naar huis en mijn strafregels schrijven.'

'Ik help je vanavond wel met je strafregels,' zei Moerad goedig.

'Moerad en Josie,' zei Peter, 'kunnen jullie onderweg tellen langs hoeveel zijwegen we komen? Als we dan straks linksaf gaan schrijft Moerad op: *vierde weg links*. Of Josie: *derde weg rechts*. En daarna zetten we: *bij oude boerderij over erf*. Of zoiets.'

'En wat moet ik doen?' vroeg Yoe Lan.

'Jij bedenkt de vragen,' zei Peter.

'Maar dat kan ik niet! Ik zit pas in groep vijf! Ik weet al die dingen niet!'

'Daarom juist,' zei Josie. 'Omdat jij niks weet heb je veel te vragen.'

Ze gingen op weg. Het was heerlijk zacht weer. Overal in de berm bloeiden bloemen. De schapen hadden al grote lammeren en de koeien kalfjes, en een keer stapten ze af bij een manege waar zwarte pony's met veulens stonden te grazen.

In het recreatiepark bij Halfweg dronken ze hun pakjes sap leeg aan een picknicktafel. Peter haalde het pakje stroopwafels tevoorschijn. 'Lang leve Kokkie.'

'Ze is als een moeder voor ons,' zei Moerad plechtig, en stak een stroopwafel in zijn mond.

'Jij houdt van iedereen die je voer geeft,' zei Josie. 'Je bent net een varken.'

Moerad had zijn mond vol, en daardoor was zijn antwoord gelukkig niet te verstaan.

'Maar Kokkie praat ook altijd met ons,' zei Yoe Lan. 'En ze vraagt hoe het op school gaat. Ze heeft altijd tijd voor me.'

Ze bleven nog een tijdje zitten uitrusten. Ze zagen

een heleboel konijnen, wilde met jonkies, en tamme die mensen daar hadden achtergelaten. Yoe Lan had Woelf aan de tafel vastgebonden en hij jankte zachtjes telkens als er een konijn in de buurt kwam.

'We zouden niet van de honger omkomen met Woelf bij ons,' zei Moerad. 'Hij is vast een prima jager. En er zijn hier overal vuurplaatsen om te barbecueën. We zouden elke dag konijn eten!'

'Nou, ik niet!' riep Yoe Lan verontwaardigd. 'Dan eet ik nog liever gras!'

'Is konijn wel halal?' vroeg Josie hatelijk.

'Ja hoor,' zei Moerad. 'Ik mag alle vlees eten behalve dat van varkens. Het hangt ervan af op welke manier je de dieren slacht. Kijk, je moet zo in hun hals steken met de scherpe punt van je mes, en dan...'

'Hou je mond!' riep Yoe Lan. Ze legde haar handen op haar oren en rende weg.

'Tijd om op te stappen,' zei Peter.

Josie en Moerad telden de zijwegen, en Yoe Lan bedacht een heleboel vragen en opdrachten. *Wat is een trekvaart? Hoe oud is de broodfabriek?* (Dat stond erop in Romeinse cijfers.) *Waarvoor dient een gemaal? Teken de oude molen.*

Toen alles klaar was reden ze in vliegende vaart terug naar de boerderij om Woelf af te zetten, en toen door naar het internaat.

'Hé, waar is Moerad gebleven?' vroeg Josie toen ze haar fiets op slot zette. 'Hij weet toch dat we haast hebben?'

Moerad kwam met één hand aan het stuur de hoek om. Hij zette een voet op de grond maar bleef op het zadel zitten. 'Kijk eens wat ik gevonden heb.'

Het was een klein groen flesje. 'Dat lag daar op het tegelpad aan de zijkant.'

Peter pakte het van hem aan, schroefde de dop eraf en hield het onder zijn neus. 'Ruik maar,' zei hij tegen Moerad. 'Het is zoiets als ether, of alcohol. Vroeger gebruikten ze dat in het ziekenhuis om mensen te verdoven. Raar hoor.' Hij keek op zijn horloge en schrok. 'O, jongens, we zijn alweer te laat voor het avondeten. Wat moeten we nu weer voor smoes bedenken?'

'Dat we met de puzzelrit bezig waren,' zei Moerad. Hij stopte het flesje in zijn zak.

'Maar dat zeiden we de hele tijd al!' zei Josie. 'Toen we met die gestolen diamanten bezig waren.'

'Ja,' zei Peter. 'Maar nu is het tenminste waar.'

'Alweer die puzzelrit?' zei Roel humeurig, toen ze haastig naar binnen liepen. 'Daar hebben jullie al zo lang aan gewerkt!'

'We moesten alles controleren, meneer,' zei Moerad beleefd. 'Of het nog klopte.'

'Weet u wel hoe snel de wereld tegenwoordig verandert?' vroeg Josie.

'Ja,' zei Roel geërgerd, 'ik weet hoe snel de wereld verandert, en het bevalt me niks, maar wat heeft dat ermee te maken?' Hij zuchtte. 'Nou, gaan jullie dan maar in de keuken kijken of er nog brood is. Kokkie is vast al naar huis.'

Maar Kokkie was er nog. Hun geliefde keukenprinses stond tegen het aanrecht geleund met een man te praten. Het was Tjonnie, de leverancier. Hij had net de boodschappen voor de volgende dag gebracht en was er eens lekker bij gaan zitten.

'Kokkie, heb je nog eten voor ons?' vroeg Moerad smekend.

Kokkie tikte hem tegen zijn wang. 'Je bent te laat, mi boi,' zei ze. 'Alles is schoon op.'

'De hond in de pot,' zei Tjonnie grijnzend. Hij had een rare kop, met uitstekende jukbeenderen, een scheve neus, en een grote mond met één voortand in het midden in plaats van twee.

'Wat zit er in de pot?' vroeg Yoe Lan ongerust. 'Wat voor hond?'

'Stel je niet aan,' zei Josie. 'De hond in de pot, dat betekent dat er niks meer in de pan zit. Het is maar een grapje.'

'Geen leuk grapje,' zei Yoe Lan boos.

'Het betekent niet dat de hond wordt opgegeten,' zei Peter. 'Het betekent dat hij met zijn snuit in de pan zit om die leeg te likken. Dat doen honden toch?'

Yoe Lan knikte. Maar de blik die ze op Tjonnie wierp was niet erg vriendelijk.

'Kokkie, ik heb je toch verteld dat wij de puzzelrit moesten uitzetten voor vrijdag,' zei Peter. 'Daarom zijn we zo laat.'

'Altijd die smoesjes,' zei Tjonnie. Hij was opgestaan en begon Kokkie te helpen de dozen te legen.

Kokkie wierp hem dankbaar een kushand toe. 'Ik zou jou geen dag kunnen missen hoor, Tjonnie.'

'O, jongens,' zei Peter. 'Als Kokkie eenmaal gaat staan flirten...'

'Ik flirt niet,' zei Kokkie. 'Tjonnie is een oude vriend van me.'

'Maar hij komt hier nog maar pas!' zei Josie.

'Ik ken Tjonnie al jaren,' zei Kokkie. 'Hij woonde naast ons in Suriname, en toen was het al een ondeugd, hè Tjonnie? De schrik van Nickerie.' Ze prikte Tjonnie in zijn buik en lachte.

'Zie je wel,' zei Peter, 'je flirt, Kokkie. En als jij eenmaal begint te flirten...'

Kokkie pakte een steelpan van het aanrecht en stapte op Peter af.

Peter dook weg. '...dan gaan wij maar een zak patat halen.'

Maar dat was Kokkies eer te na. 'Kom kijken,' zei ze. 'Ik zal wat lekkers voor jullie maken, hoor!' Ze begon weer te zingen over die wasmachine. Het klonk behoorlijk vals.

'Hoe heet je zus, Kokkie?' vroeg Yoe Lan om haar af te leiden.

'Jennie!' zei Kokkie. 'O, ik ben zo blij dat ze me komt opzoeken!'

'Waarom woont zij daar, en jij hier?' vroeg Yoe Lan. 'Als ik een zusje had...'

Tjonnie pakte zijn lege dozen op. 'Dag schoonheid,' zei hij.

'Dag Tjonnie, tot morgen en bedankt!' riep Kokkie met haar neus in de koelkast. Ze haalde er van alles uit.

'Suriname hoorde vroeger bij Nederland,' zei ze toen tegen Yoe Lan. 'Maar in die tijd woonden er alleen indianen.'

'En toen hebben ze slaven gehaald in Afrika,' zei Josie.

'Precies. Nu is Suriname onafhankelijk, maar een heleboel mensen wilden Nederlander blijven. Dus daarom woont de ene helft van ons hier, en de andere helft daar.'

Ze ruimde de keukentafel leeg en zette borden neer. Ze streek Yoe Lan over haar haar. 'Kijk niet zo droevig, me kind. Jullie wonen toch ook niet bij je familie? Daarom werk ik graag hier in het tehuis. Jullie zijn mijn familie, *mi famiri*.'

Yoe Lan bloosde. 'Echt waar?' vroeg ze zacht.

Even later zaten ze met zijn vieren aan de keukentafel met een berg eten voor hun neus. Er was nog tomatensoep over, en ze kregen pitabroodjes met sla en shoarma, en met kaas en tomaten voor Yoe Lan en Moerad.

'Wel ja,' zei Roel. Hij kwam de keuken in lopen met een stapel papieren onder zijn arm en keek verwijtend naar het dampende eten. 'Dat moet wel een heel mooie puzzelrit worden. Want eigenlijk hadden jullie droog brood moeten eten voor straf!'

'Straf!' zei Josie geschrokken. 'Ik ben mijn hele strafwerk vergeten. Dat krijg ik nooit meer af.'

'Ik zou je helpen,' zei Moerad. Hij liep weg en kwam terug met vier pennen in elke hand, een stuk papier en plakband.

De pennen zaten met een elastiekje netjes naast elkaar aan een kartonnetje vast. Moerad plakte het papier aan de hoeken op de tafel vast en pakte in elke hand vier pennen. En toen schreef hij in één keer acht zinnen tegelijk.

'Wo!' zei Yoe Lan. 'Moerad, je bent een kunstenaar én een tovenaar.'

'Kijk,' zei Moerad.

Josie las wat hij had geschreven.

Ik zal mijn strafregels nooit meer door Moerad laten maken.

Het was vrijdagmiddag, het begin van de meivakantie. De meeste kinderen zouden op zaterdagochtend naar hun gastadressen of hun ouders vertrekken. Maar eerst was er nog de langverwachte puzzelrit. Na de thee verzamelden de deelnemers zich voor het tehuis. De zeemeermin boven de ingang keek nieuwsgierig toe.

Het was prachtig weer. Kokkie had voor iedereen een pakje drinken en een appel klaargezet, en voor deze ene bijzondere keer ook een zakje snoep. 'Voor onderweg, als jullie verdwalen,' zei ze.

Alle kinderen deden mee, en de huisvader ook. Ze kregen per tafelgroepje een stapeltje papieren met de routebeschrijving en de vragen en opdrachten.

Yoe Lan, Josie en Moerad zouden op controleposten verspreid over de route gaan staan. Elk groepje dat langskwam kreeg dan een aantekening.

Moerad had zijn dure vliegeniersbroek aan, die hij bewaarde voor bijzondere gelegenheden. Zijn vader, die piloot was, had hem gestuurd.

'Kijk,' zei hij trots tegen Yoe Lan. 'Wel zes grote zakken zitten erin, en ook nog kleine zakjes voor mijn mobiel, een pen en een zakmes, en een geheim zakje voor de pinpas.'

'Maar er zit bijna niks in, in die zakken van jou,' zei

Ari, die in een ander tafelgroepje zat. Hij hing over zijn spiksplinternieuwe mountainbike, een glimmend geval met een toeter erop en wel twintig versnellingen.

Ari glom zelf net zo als zijn fiets. Hij had zijn zwarte krullen dik ingesmeerd met gel, en er blonk goud in zijn oorring, op zijn horloge, en aan de knopen van zijn jas. Hij liet glimmend van trots zijn mobiel zien, het allernieuwste model.

'Ik wou dat ik zo'n mobieltje had,' zei Moerad jaloers. 'Nou ja, dat van mij is ook mooi.'

Toen haalde Ari zijn zakmes tevoorschijn, een Zwitsers mes met een schroevendraaier eraan, een opener, een vijl, en nog een heleboel andere dingetjes die handig waren als je alleen in de wildernis achterbleef.

Maar Ari werd altijd door een chauffeur opgehaald en er was weinig kans dat hij ergens, waar dan ook, in zijn eentje zou achterblijven.

Moerad, Josie en Yoe Lan vertrokken. Ze moesten helemaal uit het zicht zijn verdwenen voordat de eerste groep kinderen op weg ging.

'Tijd om te vertrekken!' riep Peter toen. 'De voorste ploeg kan nu weg!'

Juichend en joelend gingen de vier kinderen ervandoor.

Een tijdje later mocht de huisvader. Hij had een korte broek aangetrokken die tot halverwege zijn behaarde witte kuiten kwam, en droeg een pet tegen de zon. Er zat een paraplu onder zijn snelbinder gebonden. Hij had zelfs een standaard op zijn stuur waarin hij de routebeschrijving had vastgezet met een plastic zakje eromheen. Met de huisvader kwam het wel goed.

Om beurten vertrokken de andere ploegen. Peter bleef achter om de thuiskomers op te vangen. Hij was buiten aan een tafeltje gaan zitten met een horloge, een pen, en de vertrektijden van de groepjes.

Yoe Lan kwam als eerste terug. 'Alle groepen zijn bij me langs geweest,' zei ze.

Even later kwam Josie terug van de tweede post, en toen duurde het niet lang of het eerste groepje kwam aanfietsen en Peter kon beginnen met hun tijd te noteren en de antwoorden na te kijken.

Een paar groepjes kwamen vlak na elkaar terug. Toen duurde het een hele tijd voor de huisvader puffend en blazend aan kwam zetten. 'Ben ik de eerste?' riep hij al uit de verte.

Iedereen begon te lachen.

Peter bekeek zijn papieren. 'Heeft u geen stempels van de controleposten?' vroeg hij.

Roel keek verbaasd. 'Ja hoor,' zei hij. 'Die staan toch op dat ene blaadje...'

'Zeker weggewaaid,' zei Peter. Hij had al gezien dat er van de antwoorden ook niet veel klopte. De huisvader zou niet winnen. Het was al mooi dat hij veilig terug was gekomen, dacht Peter. Als een-na-laatste.

De groep van Vincent kwam als laatste binnen. Ze hadden een lekke band gehad, de pechvogels. Vincent gaf Peter de papieren.

Peter bladerde door het stapeltje. 'Waar is het stempel van de controlepost van Moerad?'

'We hebben geen Moerad gezien,' zei Vincent. 'Waar moest ie zitten?'

'Tegenover de oude molen,' zei Peter.

'Was ie zeker even plassen,' zei Vincent.

'Ik denk dat je helemaal niet bij de molen geweest bent,' zei Peter. 'Zonder stempel is alles ongeldig.'

'Geloof je me soms niet?' vroeg Vincent dreigend.

'Ik hou niet van die kunstjes,' zei Peter.

'En ik hou er niet van als iemand me een leugenaar noemt,' zei Vincent. 'Hé meneer!'

De huisvader kwam blazend en puffend aanlopen. 'Meneer,' zei Vincent. 'Hebt u een stempel van Moerad?'

'Moerad? Ik heb Moerad nergens gezien,' zei Roel. 'Heb ik nu alles fout?'

'Ik weet het niet,' zei Peter. 'Iets is er in elk geval fout.'

Josie kwam erbij staan. 'Wat is er aan de hand?' vroeg ze.

'Waar is Moerad?' vroeg Peter. 'Die had toch allang terug moeten zijn!'

'Hij is er nog niet,' zei Josie.

'Maar iedereen is binnen! Dan hoeft hij toch niet op zijn post te blijven.'

'Waar hij dus al niet was,' zei Vincent scherp.

'Heeft niemand eraan gedacht om hem te bellen?' vroeg Josie. Ze voegde de daad bij het woord. 'Zijn mobiel staat uit. Vast niet op tijd opgeladen. Hij heeft trouwens nooit beltegoed.' Ze stuurde hem een sms'je.

'Ik kan er niet tegen als iemand zich niet aan zijn afspraken houdt,' zei Peter. Toen haalde hij zijn schouders op. 'Laten we de winnaar maar bekendmaken.'

De groep van Sonja had gewonnen. Ze waren als tweede binnen, maar ze hadden alles goed, en ze hadden ook de mooiste opdrachten gemaakt. Roel had een cd-bon uitgeloofd.

Bij het avondeten waren er roti's met kousenband en kip, en gebakken eieren voor Yoe Lan. Omdat het de laatste avond voor de vakantie was zou Kokkie ook mee-eten.

'Is Moerad te laat?' vroeg ze, toen iedereen was gaan zitten. 'Ik heb chocoladepudding gemaakt, dat is zijn lievelingstoetje.'

Maar de stoel van Moerad bleef leeg.

Aan alle tafelgroepjes op één na werd onder het avondeten vrolijk gepraat en geroepen. Zelfs de minuut stilte voor het eten werd af en toe onderbroken. Niet alleen door het zachte gemompel van Kokkie die 'Onze Vader die in de hemelen zijt' bad, maar ook door gegiechel en gestomp. Deze keer zei de huisvader er niets van, en de 'Vader in de hemelen' ook niet.

Alleen aan de tafel bij het raam bleef het heel stil. Drie monden kauwden met lange tanden op het lekkere eten dat Kokkie had gemaakt.

Pas bij het toetje verbrak Josie de stilte. 'Moerad heeft een vriend in het woonwagenkamp achter de molen,' zei ze. 'Zullen we na het eten gaan kijken of hij daarheen is gegaan?'

'Dat is helemaal niks voor Moerad,' zei Peter. 'Hij is toch niet van zijn controlepost weggegaan om een vriendje op te zoeken?'

'Misschien is hij ziek geworden,' zei Yoe Lan. 'Dat hij daarom naar het kampje is gegaan.' Ze zat te gapen van vermoeidheid.

'Ja,' zei Josie, 'als hij bijvoorbeeld zijn enkel verzwikt heeft. Dan is hij misschien naar het kampje gegaan om een zwachtel te halen.'

'We zoeken nu die jongen op,' zei Peter. 'Dit is te

gek voor woorden. Laat die vuile borden maar staan, Yoel.'

'Zeg tegen Roel en Rosita dat we Moerad gaan zoeken,' riep Josie tegen de anderen. Rosita was de verzorgster die die avond dienst had.

Ze pakten hun fietsen en reden naar de molen. Toen ze daar kwamen zagen ze Moerads fiets ertegenover tegen een boom staan, naast het bankje waar hij op gezeten had.

'Zijn fiets staat niet op slot!' riep Josie verbaasd. 'Dat kan toch niet! Moerad is er altijd zo voorzichtig mee. Hij heeft hem van zijn vader gekregen.'

'Ik neem hem wel mee aan de hand,' zei Peter. 'Het is nu te schemerig om hier iets te vinden. Misschien heeft Moerad wel ergens een briefje neergelegd. Hij had in elk geval een stempel en pen en papier bij zich, om te noteren wie er langs geweest was.'

Het was een treurig gezicht de fiets van Moerad te zien rijden, met zijn lege zadel en trappers zonder voeten erop.

Ze fietsten naar het woonwagenkamp waar de klasgenoot van Moerad woonde. Het terrein lag niet ver van de molen, aan een klein zijweggetje, en iemand met een verzwikte enkel of een ander probleem zou er best heen kunnen strompelen.

Ze zetten hun fietsen neer en liepen het kamp binnen. Als je niet wist dat het woonwagens waren, zou je het er niet aan kunnen zien. De meeste wagens zagen eruit als huizen, luxe bungalows met veranda's en tuintjes eromheen.

'Otto heet zijn vriend, geloof ik,' zei Josie. 'Ze zitten wel eens bij Moerad op de kamer DragonballZ te tekenen en zo. Ze zijn heel goed.'

In het kamp zaten overal mensen voor hun huis bier te drinken en te barbecueën. Kinderen renden in het rond. Van alle kanten klonk muziek. Er was een overvloed aan lantarens, olielampen, feestverlichting aan de bomen en tuinfakkels.

'Wachten jullie maar hier,' zei Peter. Hij liep naar het dichtstbijzijnde gezelschap toe.

'Otto woont in die wagen daar,' zei hij toen hij terugkwam.

Voor het verplaatsbare huis waar Otto woonde zaten een vrouw en een man en een jongen van een jaar of tien, elf.

'Ben jij Otto?' vroeg Peter.

De jongen stond op en slenterde naar hen toe. Hij was lang voor zijn leeftijd en slungelig en er hing een haarlok voor zijn ogen, die hij telkens naar achteren duwde.

'Wie wil dat weten?' vroeg hij.

Peter viel met de deur in huis. 'Weet jij misschien waar Moerad is?'

'Moerad?' vroeg Otto. Hij keek onnozel en een beetje brutaal naar Peter.

'Hij is verdwenen,' zei Josie. 'We dachten...'

'Aha,' zei Otto. 'Nu begrijp ik wat jullie komen doen.' Hij spuugde vlak voor Peter op de grond. 'Mijn vader zegt, nooit komt er iemand bij ons op bezoek, maar als er ergens iets verdwenen is dan weten ze ons te vinden. Een lading gestolen spullen, of een jongen, ze zoeken altijd hier bij ons. Geneer je maar niet, kijken jullie vooral overal goed rond.'

Hij bukte zich en keek onder de blokken van zijn mobilhome. 'Moerad!' riep hij. 'Kom maar tevoorschijn! Je bent erbij!'

Toen richtte hij zich op en keek Peter aan. 'Hij is er niet,' zei hij pesterig. 'Jammer hoor.'

Yoe Lan liep naar Otto toe. Ze bleef vlak voor hem staan en keek omhoog. 'Moerad is mijn vriend,' zei ze. 'En nu is hij weg.'

'Moerad is mijn vriend ook,' zei Otto iets minder vijandig.

'Zijn fiets stond bij de molen, hier vlakbij, zonder slot, daarom komen we hier,' zei Yoe Lan heel zacht.

'O,' zei Otto.

'Nou, hier is hij dus niet,' zei Peter een beetje schor. 'En hartelijk dank maar niet heus.'

'Wacht even,' zei Otto. Hij keek nu ook bezorgd. 'Hoe lang is hij al weg?'

'Vanaf een uur of vijf minstens,' zei Josie. 'We hadden een puzzelrit en hij zat op een controlepost. Maar de laatste groep die langsfietste heeft hem niet meer gezien. En de huisvader ook niet.'

'Een puzzelrit,' zei Otto. 'Dat is waar ook. Moerad heeft er iets over gezegd. En ik heb ze zien langsfietsen vanmiddag. Ik dacht al, wat zijn er een boel fietsers vandaag.'

'Nou, dan gaan we maar weer verder,' zei Peter.

'Misschien heeft iemand anders hier Moerad gezien?' vroeg Josie.

'Ik ga het zo meteen vragen,' zei Otto. 'Als ik iets hoor bel ik jullie. Heb je een mobiel bij je?'

Josie gaf hem haar nummer.

'Het is niks voor Moerad om weg te lopen of zo,' zei Otto. 'Op school vinden ze hem een braaf jongetje. Nou, dat is hij niet, maar zoiets zou hij nooit doen.'

'We gaan de politie bellen,' zei Peter somber. 'Dag Otto.'

'Kop op, Peter,' zei Josie. 'Misschien zit hij al thuis op ons te wachten.'

'Vast,' zei Peter somber. Toch reden ze zo hard ze konden terug.

De enige die thuis op ze zat te wachten was de huisvader. Eigenlijk zat hij trouwens niet, maar hij beende heen en weer door de kamer. De tv stond uit en alle kinderen waren naar hun eigen kamer gegaan.

'Niks gevonden?' vroeg hij toen ze binnenkwamen.

Ze schudden zwijgend hun hoofd.

'Goed, ik bel de politie,' zei hij. Ze liepen achter Roel aan naar zijn kantoor.

'Wachten jullie maar op de gang,' zei Roel.

'Er is toch nergens plek om te zitten in uw kamer,' zei Josie. Het was bedoeld als grapje. Op Roels kantoor was het altijd een onbeschrijfelijke puinhoop, met op alle stoelen en banken stapels paperassen, die je moest verplaatsen als je ergens wilde zitten. Maar waar moest je ze neerleggen? Zelfs op de grond was bijna nergens plek.

Niemand lachte. Ze bleven zwijgend staan wachten op de gang.

Na een tijdje kwam Roel zijn kantoortje uit. 'Jullie moeten er even heen,' zei hij. 'Naar de politie. Je moet aangifte van vermissing doen op het bureau. Jullie weten beter wat er gebeurd is dan ik.' Hij wreef vermoeid over zijn ogen. 'En we moeten Moerads vader waarschuwen. Ik zal de luchtvaartmaatschappij bellen waar hij werkt.'

Ze keken elkaar ontzet aan. Moerads vader waarschuwen. Het was menens.

'Kom,' zei Peter. 'We gaan meteen. Waar is het politiebureau ook weer?'

'Op de Westoever, tegenover de plas,' zei Roel. 'Jij en Josie gaan er samen naartoe, Yoe Lan moet naar bed.'

'Ik ga met ze mee,' zei Yoe Lan. Haar stem bibberde, maar ze keek de huisvader recht aan. 'Moerad is mijn vriend ook. Wij vijven... wij vieren zijn een gezinnetje, dat zegt u zelf.'

Roel zuchtte. 'Vooruit, ga jij dan ook maar mee. Hebben jullie licht op je fiets?'

Hij vroeg dat elke keer als iemand 's avonds weg moest. Maar deze keer lachten ze er niet om.

Op het politiebureau moesten ze eindeloos lang wachten. Er zat maar één agent achter de balie en die was bezig aangifteformulieren in te vullen van een autodiefstal.

Eindelijk waren ze aan de beurt. 'Onze huisvader heeft zonet naar het politiebureau gebeld,' zei Peter, 'er wordt in ons tehuis een jongen vermist.'

'Wacht even,' zei de agent. Hij liep weg en kwam terug met een kop koffie. 'Nog een keer. Wat bedoel je met "huisvader"?'

'Heeft u het telefoontje dan niet gekregen?' vroeg Peter ongeduldig.

'Mijn dienst is net begonnen,' zei de agent. Hij bladerde door een stapel notitievelletjes. 'Nou, hier zit niks bij over een telefoontje. Vertel op.'

'Wij wonen in een tehuis,' zei Peter, 'en...'

'Zo,' zei de agent. 'In een jeugdtehuis? En wat doen jullie dan zo laat op straat? Is dat de heropvoeding van tegenwoordig?'

'Het is geen tehuis voor moeilijk opvoedbare jongeren, als u dat bedoelt,' zei Peter koel. 'Wij wonen in een internaat. Onze ouders zijn in het buitenland, vandaar.'

'Ogenblikje.' De agent begon een bestand te openen en dronk intussen zijn koffie. 'Goed,' zei hij ten slotte. 'Brand maar los.'

Peter begon te vertellen over de puzzelrit.

De agent onderbrak hem. 'Hoe heet die huisgenoot van jullie?' vroeg hij met zijn vingers in de aanslag boven het toetsenbord.

'Moerad Ayoebi,' zei Peter.

'De agent begon te zoeken. 'Ik heb hier niks over hem staan,' zei hij na een tijdje. 'Hoe oud is die Moerad van jullie?'

'Elf jaar,' zei Peter.

De agent schoof het toetsenbord van zich af en nam zijn laatste slok koffie. 'Bedoel je dat jullie hier mijn tijd zitten te verdoen voor een snertjochie dat in de meivakantie met zijn vriendjes is gaan rotzooien zonder het thuis te melden?'

'Moerad rotzooit niet,' zei Peter.

'Maak dat de kat wijs,' zei de agent spottend.

'Wij hebben geen kat,' zei Yoe Lan. 'Maar ik heb wel een hond.'

'Maak dat de hond wijs,' zei de agent en hij lachte hard. 'Komen jullie morgen nog maar eens terug. Weten jullie hoeveel van die kliertjes elke dag zoek zijn? Daar kunnen wij niet aan beginnen.'

'Maar...' begon Peter wanhopig.

De agent bladerde nog eens door het stapeltje notities. 'Ik heb een melding binnen van het winkelcentrum. Opgeschoten jongens lopen overal fikkies te stoken. "Paasvuur maken", noemen ze dat. Ga daar maar eens kijken, daar zal jullie Moerad ook wel te vinden zijn.' Hij stond op en verdween zonder nog iets te zeggen in het kantoortje.

Terneergeslagen reden ze terug.

'Yoel,' zei Peter, 'we gaan morgenvroeg meteen na het ontbijt Woelf ophalen. Dan nemen we een sok van Moerad mee, daar laten we hem aan snuffelen en dan gaan we naar de molen.'

'Ja,' zei Yoe Lan. Ze klonk al iets vrolijker. 'Ik heb hem leren spoorzoeken.'

'Ach kom nou Peter,' zei Josie, 'Woelf is geen politiehond hoor.'

'Als ik die politie zo eens bekijk,' zei Peter, 'dan lijkt me dat juist wel een voordeel.'

'Ik bedoel dat hij geen speurhond is,' zei Josie. 'Het is een herder.'

'Dat is waar,' zei Yoe Lan zacht.

'Een herdershond moet ook verdwenen lammetjes opsporen,' zei Peter.

'Moerad is toch geen lammetje!' zei Josie.

Peter keek naar de trillende lip van Yoe Lan. 'Josie,' zei hij, 'hou nu je kop maar dicht.'

Het werd een lange nacht, en ze sliepen alle drie maar kort. Ze lagen te draaien en te woelen en te piekeren in hun bed.

Yoe Lan droomde dat ze achter het schip van haar vader aan zwom en het niet in kon halen. 'Papa! Wacht!' wilde ze roepen, maar haar mond liep vol met water en er kwam alleen een soort gegorgel uit.

Josie zat vast in de modder. Ze had die droom al zolang ze zich kon herinneren. Dat is ook niet zo vreemd als je ouders een baggerbedrijf hebben. Toen ze wakker werd zat het laken zo strak om haar benen gedraaid dat ze het bijna niet los kon krijgen.

Alleen Peter droomde niet. Hij sliep de hele nacht maar half, en zijn hersens bleven doormalen om de oplossing te vinden van Moerads verdwijning. Maar 's morgens was hij nog geen steek opgeschoten.

Op zaterdagochtend waren ze heel vroeg op. Ze namen niet de tijd om echt te ontbijten. Ze dronken hun melk staande en ze maakten haastig een paar boterhammen klaar om die onderweg op te eten.

Het was onverdraaglijk de lege stoel van Moerad te zien staan. Ze probeerden ook om niet naar de pindakaas, chocoladevlokken en ontbijtkoek te kijken die hij altijd op zijn brood deed.

Eerst haalden ze samen Woelf op. Peter en Josie

bleven langs de kant van de weg staan wachten, terwijl Yoe Lan naar het grote hok naast de boerderij liep.

De boer kwam naar buiten lopen met een boterham in zijn hand. Met zijn pet achterstevoren op zijn hoofd zag hij eruit als een schooljongen.

Altijd als ik hem zie loopt hij te eten, dacht Yoe Lan. Hij lijkt op zijn koeien, die zijn ook de hele dag aan het herkauwen.

'Zo,' zei de boer vriendelijk. 'Ga je met Blek wandelen?'

Yoe Lan knikte. Eigenlijk heette de hond Blek, en was hij van de boer. Maar omdat zij hem getemd had, was hij ook een beetje van haar. Het meest van haar, dacht ze.

Ze liep het hok in. Woelf sprong tegen haar op, kwispelde zijn staart er bijna af en likte haar waar hij maar kon.

'Niet in mijn gezicht likken, dat is vies!' zei Yoe Lan zoals altijd.

'Woef!' zei Woelf. Dat betekende: jouw gezicht smaakt juist het lekkerste van alles!

Ze reden naar de oude molen. Het was niet koud, maar de lucht was donker en dreigend, en de zilverige rand om de wolken waar de zon achter scheen leek op het blikkerige, koude metaal van een scherp mes.

Yoe Lan had een sok van Moerad in haar jaszak gestopt. Ze had hem onder zijn bed gevonden. Woelf had leren spoorzoeken, ook al geloofde Josie niet dat hij het ook echt kon. Daarom liet Yoe Lan Woelf aan de sok ruiken toen Josie niet keek. 'Zoek!' zei ze zachtjes.

Woelf snuffelde aan de sok en kwispelde toen vrolijk. Het komt in orde, baasje, betekende dat. Hij begon meteen te snuffelen.

Ze liepen met zijn vieren speurend om de bank heen waar Moerad op gezeten had toen hij zijn controlepost bemande. Er was niets te zien.

'Dit is waarschijnlijk het schoonste stukje van Nederland,' zei Josie. 'Het lijkt net alsof iemand hier grondig opgeruimd heeft. Maar waar zoeken we eigenlijk naar?'

'Waarom laat Moerad zijn controlepost in de steek, en laat hij zijn fiets achter zonder hem op slot te zetten, terwijl de puzzelrit nog niet eens is afgelopen? We zoeken naar een antwoord op die vraag,' zei Peter.

Josie en Peter gingen op de bank tegenover de molen zitten nadenken. Ze keken met sombere gezichten voor zich uit en zeiden geen woord.

Yoe Lan liep een stuk met Woelf langs de weg om hem uit te laten. Woelf poepte of plaste nooit op de plaats waar zij waren. Pas als Yoe Lan 'uitlaten' zei begon hij te snuffelen en hier en daar zijn poot op te tillen om een geurtje achter te laten.

Terwijl Woelf in de berm hurkte, liep Yoe Lan op en neer en schopte tegen een steentje.

Ze liet haar schouders en hoofd hangen en keek naar de grond, zoals ze altijd deed wanneer ze ergens verdrietig om was. Meestal was dat omdat ze haar vader miste, maar nu ging het om Moerad.

Ze bukte zich om een geldstuk op te rapen dat op de weg lag. Yoe Lan vond altijd geld op straat als ze verdriet had, of een mooi ringetje, of een oorbel. Dat betekende dat haar vader aan haar dacht en wist dat ze verdriet had, en iets op haar weg legde om haar te troosten.

'Dank je, pappie,' fluisterde ze, en ze stak de munt in haar jaszak bij de sok van Moerad. Toen floot ze Woelf en liep terug naar de andere twee, die nog steeds somber op de bank voor zich uitstaarden.

'Woelf heeft zijn best gedaan,' zei ze een beetje schichtig.

Josie keek op. 'Ja,' zei ze. 'Als hij niks gevonden heeft, dan betekent het dat er gewoon geen spoor *is*.'

Toen ze bij de zijweg naar het woonwagenkamp kwamen hoorden ze roepen. Ze keken opzij en stapten af. Otto kwam met zwaaiende armen aangefietst. Het losse stuur zwenkte van links naar rechts maar hij viel niet.

'Ik zag jullie zonet voorbijkomen,' zei hij buiten adem toen hij met een enorme schuiver vlak voor Josies fiets gestopt was. 'Is Moerad al terug?' Hij keek naar de drie sippe gezichten voor hem. 'Nee, ik zie het al.'

'Heb je nog gevraagd op het kamp of iemand hem gezien heeft?' vroeg Josie.

'Niemand heeft hem gezien. Er was alleen... Ach nee.'

'Alleen wat?' vroeg Peter.

'Er was een bestelwagen,' zei Otto. 'Die was de weg kwijt of zo. Die ging naar de molen en toen kwam ie even later weer terug.'

'Wat is daar voor geks aan?' vroeg Josie.

'Nou, niks,' zei Otto. Hij wees met een lange slungelige arm naar de molen. 'Die weg bij de molen gaat nergens heen, die komt uit op een fietspaadje door de weilanden. Daar valt niet veel te bestellen, voor een bestelauto. Eigenlijk. Daarom.'

'Wat voor bestelwagen was dat?' vroeg Peter. 'Ik bedoel, wat bezorgde hij voor iets, of eigenlijk wat bezorgde hij dus *niet*.'

Otto haalde zijn magere schouders op. 'Geen idee,' zei hij. 'Mijn oom heeft hem gezien, en die wist het ook niet. Maar het betekent niks, denk ik, dat ding was gewoon verdwaald, ik bedoel de chauffeur.'

'Nou, toch bedankt,' zei Josie. 'We bellen je als we iets van Moerad horen.'

Maar eigenlijk geloofden ze daar geen van allen meer in.

Bij Huize Boegbeeld was het heel druk. De zeemeermin boven de voordeur keek spijtig naar alle kinderen die aan het vertrekken waren, en naar de auto's die af en aan reden om ze op te halen. Ze hield niet van afscheid nemen. Toen ze nog een boegbeeld was en aan de voorkant van haar schip hing, had ze te veel tranen van zeemansvrouwen gezien en te veel huilbuien aangehoord.

'Kijk daar eens!' zei Peter. Een meterslange Rolls Royce gleed over de oprijlaan naar de deur van het tehuis.

Josie en Yoe Lan keken even opzij, maar hun gedachten waren bij Moerad, en auto's interesseerden hen toch al niet zo.

De Rolls kwam geruisloos tot stilstand. Er stapte een chauffeur in uniform uit. Hij hield het portier open voor een lange man met een donker gezicht en een korte zwarte baard.

Josie en Yoe Lan stonden bij de schuur op Peter te wachten. 'We gaan meteen naar Roel,' zei Josie, 'om hem te vertellen dat we niets gevonden hebben bij de molen.'

Peter knikte. 'We moeten ook vragen of hij Moerads vader al heeft bereikt.'

Toen ze aangeklopt hadden bij het kantoortje van

de huisvader, en de deur opendeden, zagen ze iemand voor Roels bureau staan.

'Dat is de eigenaar van de Rolls Royce,' fluisterde Peter.

'Ik ben bezig, dat zien jullie toch wel,' zei de huisvader korzelig.

'Wij wachten op de gang, meneer,' zei Yoe Lan. 'Het gaat om Moerad.'

De lange man keek even achterom, hun kant op. Toen zocht hij met zijn ogen naar een stoel om op te gaan zitten.

De huisvader had niets in de gaten, die was in zijn papieren aan het rommelen.

Peter liep naar voren, het kantoor in, en haalde een stapeltje paperassen van de stoel voor het bureau. 'Gaat u zitten,' zei hij tegen de onbekende bezoeker. Toen liep hij het vertrek uit en deed de deur achter zich dicht.

Na een tijdje deed Roel de deur van het kantoor open. 'Komen jullie maar even binnen,' zei hij.

Ze bleven bij de drempel staan, daar was tenminste nog plaats.

'Hebben jullie Ari vanochtend weg zien gaan?' vroeg Roel.

Ze schudden hun hoofd. 'Wij hebben niemand weg zien gaan,' zei Peter. 'We zijn gaan kijken of we sporen van Moerad konden vinden bij de molen.'

'O ja, Moerad,' zei Roel. 'Dat is waar ook.' Hij greep naar zijn hoofd en begon in zijn grijzende krullen te graaien, alsof hij daarmee de wanorde in zijn hersens en in het tehuis een halt kon toeroepen.

‘Heeft u Moerads vader al te pakken kunnen krijgen?’ vroeg Josie.

‘Sorry,’ zei Roel tegen zijn bezoeker. ‘*Excuse me for a minute.*’ Toen schudde hij zijn hoofd. ‘Moerads vader zit in Buenos Aires, maar hij heeft zes dagen verlof. Het schijnt dat hij dan graag het binnenland van Argentinië in gaat. In die indianendorpen is hij niet te bereiken.’

De lange man kwam naar hen toe en stak zijn hand uit. ‘Sjeik Zadeh,’ zei hij. ‘*Very pleased to meet you.*’

‘Sjeik Zadeh is de broer van de sultan van Firdaus,’ zei de huisvader. ‘Zijn zoon Ari is bij ons in het tehuis sinds zijn moeder is overleden. Zij was Nederlandse, en ze woonden hier.’

‘Firdaus,’ zei Peter, die een kei was in aardrijkskunde. ‘Is dat niet zo’n eilandje ergens in de buurt van Iran?’

‘Iran,’ herhaalde sjeik Zadeh. Hij knikte.

‘Een oliestaatje zeker,’ zei Peter tegen Josie en Yoe Lan. ‘Vandaar de Rolls Royce.’

‘O,’ zei Yoe Lan beteuterd. Ze snapte er niks van.

‘Een land met olie heeft veel geld,’ legde Josie uit.

Maar Yoe Lan dacht niet aan geld of olie. ‘Waarom woont Ari niet bij zijn vader?’ vroeg ze.

De sjeik begreep haar vraag. Hij antwoordde in moeizaam Engels.

‘Ari gaat in het weekend naar zijn grootmoeder in Ede,’ vertaalde de huisvader. ‘Zijn vader is veel op reis. En Ari wilde op zijn oude school blijven. Daarom woont hij nu bij ons. Hij zou het weekend hier blijven en maandag met zijn vader naar Firdaus vliegen.

Maar dinsdagavond laat kreeg zijn vader bericht dat Ari ontvoerd was.'

De drie kinderen keken elkaar ontzet aan.

'Maar...' zei Peter.

'Dan...' zei Josie.

'Moerad is vast ook ontvoerd!' zei Yoe Lan, en ze begon te huilen.

De huisvader vertelde in het kort aan de prins wat er aan de hand was.

'Maar Ari was hier gisteren nog,' zei Peter in het Engels.

'*Yes*,' antwoordde de sjeik. '*I called him late that night...*'

'Hij heeft Ari dinsdagnacht meteen gebeld,' vertaalde Peter, 'om te kijken of het bericht klopte. Hij krijgt vaker dreigbrieven en zo. Ze hebben veel vijanden. Hij wilde Ari niet ongerust maken, voor het geval het vals alarm was. Dus toen hij Ari aan de telefoon kreeg en hoorde dat alles in orde was, feliciteerde hij hem met zijn verjaardag en hing weer op.'

'Ik was opgelucht,' zei de sjeik, 'maar voor de zekerheid belde ik hem woensdag nog eens, om te vragen wat hij voor cadeau wilde. En donderdag vroeg ik hem of hij een leuke verjaardag had gehad. Toen zei hij dat ik op moest houden hem als een baby achterna te lopen of zoiets. Mijn zoon is erg zelfstandig geworden. Maar nu is hij er niet. Zijn mobiel staat uit en zijn oma geeft ook geen gehoor.'

'Heeft u al aan iedereen gevraagd wanneer ze Ari voor het laatst gezien hebben?' vroeg Peter aan Roeland. 'Want gisteravond was hij er gewoon.'

'Ik wist niet dat zijn vader hem zou komen ophalen,' zei Roel. 'Tegen mij zei Ari dat hij het weekend naar zijn oma ging.' Hij keek een beetje hulpeloos om zich heen. 'De politie...?' vroeg hij aarzelend.

'*No police!*' zei sjeik Zadeh. 'Als ik de politie inschakelde zou ik Ari niet meer terugzien.'

'Yoe Lan, wil jij de bel luiden?' vroeg Peter. 'Voordat alle kinderen weg zijn. Dan kunnen we aan iedereen vragen of ze Ari vanochtend nog gezien hebben.'

Hij richtte zich tot de sjeik. 'Wij zijn vóór het ontbijt al weggegaan om onze vriend te zoeken.'

Yoe Lan haalde haar mouw langs haar gezicht en rende weg. Even later galmde de bel door het huis.

'*Come with me, sir*,' zei Peter. Ze gingen naar de huiskamer. Daar hadden alle kinderen die nog niet opgehaald waren zich verzameld.

'Dit is sjeik Zadeh, Ari's vader,' zei Peter. 'Hij wil weten wanneer jullie Ari voor het laatst gezien hebben.'

Fiona, de oudste van Ari's tafelgroepje, was er nog. Ze gaf de sjeik een hand en keek met grote ogen naar hem. 'Gossie,' zei ze, 'een echte sjeik. Daar heeft Ari nooit iets over gezegd.'

Sjeik Zadeh glimlachte zwakjes en keek hulpeloos naar Peter.

'*Never mind*,' zei Peter. Er was geen tijd voor koetjes en kalfjes.

'Uw zoon is al weg,' zei Fiona, 'vanochtend is hij opgehaald.'

'Door wie?' vroeg Peter scherp.

Fiona haalde haar schouders op. 'Gewoon. Met een

auto. Een taxi geloof ik.' Ze keek nog eens vol ontzag naar sjeik Zadeh. 'U heeft Ari net gemist,' zei ze. '*Just missed him. If you ride fast you... you... you haalt hem nog wel in.*'

'*What...*' vroeg de sjeik.

Peter vertaalde wat Fiona had gezegd.

De sjeik liep naar de deur. 'Mijn zoon is in gevaar!' zei hij tegen Peter. 'Hij wordt nooit door een taxi opgehaald. Wij hebben onze eigen chauffeur in Nederland. En die heb ik bij me. Ik moet meteen weg! Naar Ede!'

'Geeft u mij het nummer van Ari's oma,' zei Peter. 'Dan proberen wij haar ook nog te bereiken.'

Sjeik Zadeh schreef het op een papiertje. 'Mevrouw Boroin Soema,' zei hij. 'De moeder van mijn overleden echtgenote.'

'Is ze...' begon Peter. Maar de sjeik was de deur al uit. Peter schreef de naam erbij. Toen liepen ze naar buiten. Ze zagen de Rolls Royce wegrijden.

Yoe Lan begon zachtjes te huilen. 'Ze hebben twee jongens meegenomen,' zei ze.

'Gelukkig, wij meisjes zijn veilig,' zei Josie voor de grap om haar op te beuren. Maar toen huilde Yoe Lan nog harder.

'Ik moet naar het politiebureau voor Moerad,' zei Roel. 'Gaan jullie maar mee.'

Yoe Lan droogde haar tranen. 'Moerad,' zei ze zacht, 'we laten je niet in de steek, hoor.'

Josie sloeg een arm om haar heen.

Moerad deed zijn ogen open. Alles was donker om hem heen. Zijn rug en schouderbladen deden pijn. Hij lag op een harde, koude vloer.

Waar ben ik? dacht hij. Wat doe ik hier? Waarom ben ik... Toen zakte hij weer weg in een soort bewusteloosheid.

Bijna zakte hij weg. Ergens in zijn bonkende hersenpan was een hardnekkige, koppige gedachte overeind gebleven. 'Wakker worden!' riep die gedachte zo luid mogelijk.

De andere gedachten rekten zich humeurig uit en stonden toen ook maar op. 'Tijd om aan het werk te gaan,' zeiden ze tegen elkaar. 'Tanden poetsen, aankleden, een nieuwe werkdag begint.'

Moerad deed zijn ogen weer open. Zijn hoofd bonsde. Zijn keel brandde en hij had een vieze, zurige smaak in zijn mond.

Waar ben ik? dacht hij voor de tweede keer. Ik ben in het tehuis, want het is geen zomervakantie. Het is nacht, want het is donker. Misschien ben ik mijn bed uitgekomen en uitgegleden in de wc.

'Help!' riep hij zachtjes.

Hij probeerde zijn armen en benen te bewegen. Dat lukte. Zijn rechterarm deed een beetje pijn, maar hij had zo te voelen niks gebroken. Plotseling hield hij zijn adem in. Een golf misselijkheid spoelde door hem heen.

Hij ging rechtop zitten en boerde. Daarna voelde hij zich beter. Op dat ogenblik kwam zijn geheugen terug. Beetje bij beetje herinnerde hij zich wat er gebeurd was. Zijn hart begon te bonken van angst.

Vrijdagmiddag was het gebeurd. Hij zat op zijn controlepost bij de molen. De puzzelrit was in volle gang. Er was net een groep fietsers bij hem langsgekomen om hun papier te laten afstempelen. De ploeg van Vincent was nog niet langs geweest, en de huisvader ook niet.

Moerad was op de bank gaan zitten met zijn ogen dicht, om de zon op zijn gezicht te voelen. Hij dacht aan de zomervakanties in Marokko. Er was geen ander geluid te horen dan de wieken van de molen, die draaiden in de wind. Zelfs van deze afstand maakte de molen een heleboel lawaai. Als je erin woonde zou het echt een onaangename herrie zijn.

Opeens voelde hij dat er iemand achter hem stond. Hij verstijfde. Toen bedacht hij dat het een van de tehuiskinderen moest zijn die teruggekomen was en probeerde hem aan het schrikken te maken.

Mooi niet, dacht Moerad. Hij bleef doodstil zitten alsof hij niets in de gaten had.

Plotseling grepen twee handen hem beet. Het waren grote harde handen, en niet die van een kind. Maar toen hij dat door had was het al te laat.

'Wat...' zei hij.

Er werd iets tegen zijn neus geduwd. Iets nats. Hij herkende de geur van het flesje dat hij eerder die week had gevonden. Een verdovend middel. Ether, had Peter gezegd.

Moerad werd duizelig en suf. Toch worstelde hij met zijn laatste krachten om los te komen. Hij hoorde de stemmen boven zich. Zijn belager was niet alleen. Moerad sloeg in het wilde weg om zich heen, maar tegen die overmacht kon hij niet op.

Hij voelde dat hij ruw werd opgetild en weggedragen. Toen hoorde hij nog een derde stem, iets verder weg, een die hem bekend voorkwam. Maar voordat hij kon bedenken van wie de stem was, voelde hij een scherpe stekende pijn in zijn arm. Dat was het laatste wat hij zich herinnerde.

Ze hadden hem dus eerst verdoofd, en daarna hadden ze hem een injectie gegeven. Daar was hij nu nog misselijk van. De daders hadden zich goed voorbereid.

Met moeite krabbelde hij overeind. Hij zwaaide even heen en weer en steunde met zijn hand tegen de muur. Bang was hij niet meer. Hij had zijn angst ingeslikt. Die was door zijn slokdarm gegleden en in zijn maag terechtgekomen, en zat nu diep in zijn buik te wachten tot hij van nut kon zijn.

Nu niet, dacht Moerad. Nu kan ik geen angst gebruiken. Zijn vader was een keer, lang geleden, bijna neergestort met zijn vliegtuig. Er was iets mis met de propellers, die draaiden niet meer. Hij was heel koud en hard geworden vanbinnen, had hij later aan zijn zoon verteld. Alleen zijn hersens waren warm en soepel gebleven, en die draaiden op volle toeren, net als propellers. Ze draaiden in plaats van de propellers, had zijn vader nog gezegd.

Moerad grinnikte even om de gedachte aan zijn vader die met propellers in zijn hoofd rondliep. Als hij aan zijn vader dacht voelde hij zich altijd meteen beter, sterker.

Hij liep voetje voor voetje naar voren. Hij botste ergens tegenaan. Een muur. Hij draaide een kwartslag, stak zijn armen uit en schuifelde verder tot zijn handen iets raakten. Een andere muur.

Hij bewoog zijn handen over het koude, gladde oppervlak. Ik ben in een keuken of badkamer, dacht hij. Geen paniek, er waren altijd een paar lichtpuntjes, zelfs in een stikdonkere badkamer, als je maar goed genoeg zocht.

Lichtpuntje één. Zijn kidnapper had hem geen prop in de mond gedaan. Ja, dacht Moerad, dat is wel prettig voor mij, maar dat betekent ook dat kennelijk niemand me kan horen als ik schreeuw.

Lichtpuntje twee. Ik ben niet vastgebonden. Ik kan me bewegen en rondlopen. Maar als ze me niet vastgebonden hebben betekent het dat ze er zeker van zijn dat ik hier niet op eigen kracht uit kom.

Hij voelde in zijn zakken. Zijn telefoon! Maar zijn zakken waren leeggehaald. Dat was beslist een minpunt. En de andere lichtpuntjes hadden tot dusver ook hun schaduwzijde.

Het is tijd, dacht hij, om een echt lichtpunt te zoeken. Tenslotte hebben badkamers meestal lampen.

Hij tastte de muren af tot hij het knopje had gevonden. Hij drukte erop. Opeens baadde de ruimte in een fel licht.

Hij was inderdaad in een badkamer.

Het lichtknopje zat, natuurlijk, naast de deur. Hij probeerde zonder veel hoop de deur open te doen. Die was op slot. Het was een stevige deur van massief hout, niet zo'n hol geval van meubelplaat waar je een gat in kon trappen.

Hij keek goed rond. Terrein verkennen, dacht hij. Er was een douche in de ene hoek, een wastafel in het midden van de muur, en een wc aan de andere kant. Er was een plafondlamp en een lampje boven de spiegel. Hij knipte het aan en meteen weer uit.

Boven in de muur naast de douche zat een luchtroostertje dat ongeveer zo groot was als de gleuf van een brievenbus. Er was geen raampje. Tegenover de wastafel hing een radiator van de centrale verwarming. Hij was lauw. Misschien net afgeslagen.

Moerad klapte het deksel van de wc naar beneden en ging erop zitten. Op een opgevouwen badmat bij de deur, dat zag hij nu pas, lagen een rond brood en een stuk kaas. Voor eten was in elk geval gezorgd.

Hij stond op en draaide de kraan van de wastafel open. Er kwam water uit. Hij maakte zijn gezicht nat, dronk een beetje en ging weer zitten.

Slim, dacht hij. Een badkamer. Hij had een wc, water, eten en verwarming. Het betekende dat iemand van plan was goed voor hem te zorgen. Het betekende ook dat er misschien een hele tijd niemand zou komen.

Hij had geen horloge meer om. Dat hadden ze ook afgepakt. Alleen in het geheime kleine zakje aan de binnenkant van zijn vliegeniersbroek zat de rollerpen waarmee hij altijd DragonballZ en andere strips tekende, samen met Otto. Maar het tekenblokje dat in een andere zak gezeten had was weg.

Hij zat op de wc-bril en dacht na over zijn ontsnapping. Je moest altijd nadenken over je ontsnapping, of je nu piloot was of gevangene of een gekidnapte en opgesloten Moerad.

Toen Peter, Josie en Yoe Lan met de huisvader het politiebureau binnenkwamen, was er een rij vóór hen. Ze trokken een nummertje en gingen zitten wachten. Toen ze eindelijk aan de beurt waren renden ze bijna naar de balie.

'De zaak zit in de molen,' zei de dienstdoende agent zodra Roel een paar zinnen had gezegd. Hij keek naar de rij achter hen.

'Waarom in de molen?' vroeg Yoe Lan verbaasd.

'Dat betekent dat ze er hard mee bezig zijn,' fluisterde Josie.

'Wij zijn gaan kijken waar Moerad het laatst gezien is,' zei Peter.

De agent legde een formulier voor Roeland neer en luisterde niet.

'Misschien kunt u daar beginnen met zoeken...' drong Peter aan.

'Waar wij zoeken maken wij zelf uit,' zei de agent. 'We maken er melding van. Meneer, als u hier even wilt tekenen...'

'Wat houdt dat precies in, die melding?' vroeg de huisvader.

'Dan komt de zaak in de molen,' zei de agent met een voldaan gezicht. 'Wie volgt?'

Toen ze buiten kwamen merkten ze dat het stortregende. Ze hadden alleen hun gewone jacks aan, maar ze hadden geen van allen zin om te schuilen.

Toen ze doorweekt thuiskwamen was de broodmaaltijd al afgelopen. Met hun natte jassen nog aan liepen ze de keuken in om iets te eten te pakken.

Tjonnie had net de boodschappen gebracht en was bezig de dozen uit te pakken. Bijna de hele keuken stond vol met voorraden. In de meivakantie had Kokkie vrij, en de kinderen moesten samen met de verzorgsters zelf hun eten klaarmaken. Maar Kokkie zorgde altijd dat de planken van de voorraadkamer volstonden met pakken en blikken, en dat de koelkast en de diepvries gevuld waren.

'Wegwezen jullie,' zei Kokkie, 'moet je maar op tijd komen.'

'Maar...' begon Peter.

'De hond in de pot,' zei Tjonnie net als vorige keer met een lelijk grimas.

Yoe Lan keek hem vuil aan. Toen gaf ze een gilletje en rende de keuken uit.

'Ze houdt nu eenmaal veel van honden,' zei Josie tegen Tjonnie. 'Ze kan niet tegen grapjes over honden die in een pan zitten. Zelf vind ik ze ook niet zo geweldig leuk.'

Josie ging Yoe Lan achterna. Ze konden geen van drieën veel meer verdragen, dacht ze. Ze ging naast Yoe Lan zitten en sloeg een arm om haar heen.

Yoe Lan probeerde iets te zeggen, maar door het snikken kon ze niet praten. Ze grabbelde in haar jaszak.

Even later kwam Peter ook de huiskamer binnen.

Hij had een zak koffiebroodjes uit de voorraadkamer gepakt en een paar blikjes chocomel uit de koeling. 'Wij zijn voor Moerad op stap geweest en dus hebben we recht op een maaltijd.'

'Ik heb...' begon Yoe Lan. Ze veegde driftig haar tranen weg.

Peter gaf haar een broodje. 'Eerst eten,' zei hij vriendelijk. 'Dan voel je je een stuk beter.'

Yoe Lan nam een hap en stak haar hand uit. Er lag een platte knoop van geel koper op.

'Ik dacht eerst dat het een geldstuk was,' zei ze met haar mond nog halfvol. 'Ik heb hem gevonden op de weg bij de molen, toen we naar een spoor van Moerad zochten. Maar zonet zag ik dat Tjonnie...'

'Die heeft zulke knopen aan zijn jas!' zei Josie. 'Schrok je daarom zo, Yoe Lan?'

Yoe Lan knikte. 'Een van die knopen is eraf.'

'Dan was hij bij de molen,' zei Josie.

Peter knikte grimmig. 'Hij wist van de puzzelrit. We waren er in de keuken over aan het praten, waar hij bij was.'

'Maar we hebben niet gezegd dat Moerad bij de molen zou zitten!' zei Josie.

'Hij heeft de rest van de week de tijd gehad om Kokkie uit te horen. En hij kan Moerad ook gewoon gevolgd zijn.'

'Als hij Moerad heeft meegenomen,' zei Josie, 'en Moerad heeft zich verzet...'

'Dan kan de knoop van Tjonnies jas zijn gesprongen,' vulde Peter aan.

Yoe Lan rilde. Ze zag een tegenspartelende Moerad

voor zich en ze hoorde in gedachten zijn hulpgeroep.

'Zou Tjonnie Ari ook ontvoerd hebben?' zei Josie. 'Twee ontvoeringen op één dag door verschillende kidnappers, dat zou wel erg toevallig zijn.'

'We moeten het meteen aan Roel gaan vertellen,' zei Yoe Lan.

'Nee,' zei Peter. 'Dat doen we niet. Dan loopt de huisvader woedend naar de keuken om Tjonnie aan te spreken, en dan ontkent Tjonnie natuurlijk alles, en dan weet Tjonnie dat wij het weten.'

Precies op dat moment kwam Roel de huiskamer binnensloffen. Hij liep recht op de drie kinderen af. 'Ik had sjeik Zadeh aan de telefoon,' zei hij. 'Hij is op weg naar zijn schoonmoeder in Ede. Ari's telefoon staat uit, en bij zijn oma wordt nog steeds niet opgenomen.' Hij bleef even besluiteloos staan en liep de kamer uit.

'Zullen we naar de politie gaan?' stelde Josie voor. 'En vertellen van Tjonnies jas?'

'Goed idee,' zei Peter spottend, 'dan kan die knoop ook in de molen.'

'We moeten Jaap bellen!' zei Yoe Lan. 'Die luistert wél naar kinderen.'

'Ik ben geen kind,' zei Josie.

Peter had zijn telefoon al tevoorschijn gehaald. Jaap was inspecteur bij de politie, en hij had hun zijn eigen nummer gegeven omdat ze hem al twee keer geholpen hadden met een zaak. Nu hadden zij hém nodig.

'Zijn mobiel staat niet aan,' zei Peter somber. 'Ik bel zijn bureau.' Hij keek even naar Yoe Lan en liep toen naar de gang. Yoe Lan zou overstuur raken als ze alles hoorde wat hij Jaap wilde vertellen. Binnen een minuut was hij weer terug.

'Is ie ziek?' vroeg Yoe Lan toen ze zijn gezicht zag.

'Op huwelijksreis,' zei Peter. 'Mag onder geen voorwaarde gestoord worden. Ik heb een bericht voor hem achtergelaten voor het geval hij naar het bureau belt, maar ja...'

'Is hij ver weg?' vroeg Josie.

Peter trok een lelijk gezicht. '*Top secret*.'

'We moeten Tjonnie volgen,' zei Josie. 'En erachter komen waar hij de jongens vasthoudt.'

'Dat is een goed plan!' riep Yoe Lan.

Peter knikte. 'Ja, maar op de fiets kunnen we hem niet bijhouden. Trouwens, als we willen weten waar zijn magazijn is hoeven we alleen maar op de auto te kijken. Daar staat het adres op. Bos en Lommerweg.'

'Laten we daar dan gaan kijken,' zei Josie.

'Ik weet iets beters,' zei Peter. 'Ik verstop me in de bestelauto van Tjonnie. Dat is geen probleem. Er staan allemaal dozen in en het laadgedeelte is afgescheiden van de cabine.'

'Hoe weet je dat?' vroeg Josie.

'Je hebt verstand van auto's of je hebt het niet,' zei Peter kortaf. 'We moeten opschieten, voor Tjonnie uitgeflirt is. Het is nu twee uur. Ik neem mijn mobiel mee. Jij moet de jouwe ook bij je hebben, Josie. Als ik om vier uur nog niet gebeld heb waarschuw je Roel en de politie. Maar we moeten er wél zeker van zijn dat Tjonnie regelrecht naar de plaats rijdt waar hij

Moerad, of Moerad en Ari, heeft achtergelaten.'

'Maar waarom zou Tjonnie daarnaartoe gaan?' vroeg Yoe Lan. Ze was heel bleek en haar ogen waren groot van angst, maar ze had haar vuisten gebald en haar rug was kaarsrecht.

'Jullie moeten Tjonnie flink aan het schrikken maken,' zei Peter. 'Je moet laten doorschemeren dat je iets over hem en de ontvoering weet.'

'Komt voor de bakker,' zei Josie grimmig. 'Ik begrijp het. Als Tjonnie bang wordt zal hij Ari en Moerad heel vlug vrijlaten.'

'In elk geval zal hij ze ergens anders heen willen brengen, als ze bij hem in het magazijn zijn,' zei Peter. 'Of hij zal zijn maten opzoeken, als hij die heeft. Hoe dan ook komt hij in beweging.'

'Geef die knoop maar aan mij, Yoel,' zei Josie. 'Wil je hier blijven of ga je mee naar de keuken?'

'Ik ga mee,' zei Yoe Lan. Ze gaf de knoop opgelucht aan Josie. Toen veegde ze haar hand af aan de bekleding van de bank, alsof de knoop van Tjonnie met een of andere viezigheid besmeurd was.

Peter rende naar zijn kamer om iets droogs aan te trekken. Toen liep hij naar buiten en verstopte zich in de bestelauto.

Het was een Fordje met een schuifdeur, die gelukkig niet op slot was. Peter kroop naar binnen over een paar grote zakken met zoete aardappels, cassave en vreemde knollen, en probeerde eerst of hij de deur aan de binnenkant kon openen en sluiten. Dat lukte.

Toen zette hij een paar dozen op elkaar om meer

ruimte te krijgen, en ging er zo gemakkelijk mogelijk bij zitten. Hij trok een golfkartonnen plaat over zich heen en wachtte met kloppend hart op Tjonnie.

Josie en Yoe Lan waren intussen naar de keuken teruggegaan.

Kokkie zat nu op het aanrecht. 'Ik weet ook zo gauw geen oplossing,' zei ze tegen Tjonnie op het moment dat de twee meisjes binnenkwamen. Ze hield op met praten toen ze Josie en Yoe Lan zag, alsof ze samen met Tjonnie een geheim had.

Tjonnie zat op de keukentafel, met zijn voeten op het tafelblad en zijn armen om zijn knieën geslagen. Hij grijnsde al zijn tanden bloot, maar zijn ogen lachten niet mee.

'Zijn jullie daar nou weer?' zei Kokkie. 'Peter heeft al uit de koelkast en de voorraadkamer lopen snaaien, jullie waren te laat voor het middageten, wat willen jullie nu nog?'

'Wij waren te laat voor het eten, Kokkie,' zei Josie, 'omdat we naar de politie moesten.'

'O, voor Moerad,' zei Kokkie iets vriendelijker, 'nou, dat wist ik niet hoor.'

'Wat is er met Moerad?' vroeg Tjonnie. 'Heeft hij wat uitgespookt?'

'Moerad is verdwenen,' zei Kokkie.

'O, die komt wel weer met hangende pootjes terug,' zei Tjonnie. 'En dan vindt hij de hond ook in de pot,' zei hij plagend tegen Yoe Lan.

Yoe Lan werd zo kwaad dat ze niet bang meer was. 'Nee,' zei ze. 'Moerad is ontvoerd.'

'Ach kom,' zei Kokkie. 'Waarom zou...'

Tjonnie lachte. 'Te veel boekies gelezen, zeker,' zei hij tegen Yoe Lan.

Maar Yoe Lan was nog steeds boos. 'Hij is echt ontvoerd,' zei ze. 'Bij de molen.'

'Daar bij die molen...' zong Kokkie, en ze knipoogde naar Yoe Lan. 'Maak je nou maar geen zorgen.'

'Die jongen is gewoon de hort op,' zei Tjonnie. 'Al die rijkeluiszoontjes doen waar ze zin in hebben.'

'Moerad is geen rijkeluiszoontje,' zei Josie.

'Ik dacht dat ie prins was van het een of ander,' zei Tjonnie. 'Zeg Kokkie, het wordt mijn tijd.'

'Hoe weet u dat?' vroeg Josie aan Tjonnie. 'Van die prins?'

'Ik weet niet meer wie me dat verteld heeft,' zei Tjonnie. 'Nou, gegroet.'

Hij wilde weglopen, maar Yoe Lan ging recht voor hem staan. 'Onze Moerad is ontvoerd bij de molen,' zei ze met een hoog stemmetje, 'en de man die het gedaan heeft heeft een knoop verloren. Die knoop.' Ze wees naar Josie.

Josie liet de koperen knoop zien. 'Kokkie,' zei ze, 'zie je dat Tjonnie een knoop mist?'

'Hé, die knoop heb ik net verloren,' zei Tjonnie, 'dankjewel hoor!' Hij liep naar Josie toe en wilde de knoop pakken.

Maar Josie hield de knoop stevig vast. 'Misschien moet u maar even wachten tot de huisvader hier is,' zei ze. 'Met de politie.'

'Ik heb geen tijd meer voor jullie kletspraatjes,' zei Tjonnie. Hij liep de keukendeur uit.

Yoe Lan en Josie probeerden niet om hem tegen

te houden. Als het goed was reed Tjonnie regelrecht naar de plek waar hij de jongens gevangen hield. En Peter reed met hem mee.

'Wat was dat allemaal?' vroeg Kokkie. Josie vertelde het haar.

'Jullie moeten ophouden met die onzin,' zei Kokkie. 'Tjonnie is de goedheid zelve. En ik ga naar huis. Het is mijn tijd.' Ze liep boos de keuken uit.

Josie keek Yoe Lan aan. 'Heb je gehoord wat Tjonnie zei, Yoel?'

Yoe Lan knikte.

'Hij heeft de twee jongens door elkaar gehaald. Ze hebben allebei van dat zwarte krulhaar. Weet je wat ik denk? Dat hij Ari wilde kidnappen, voor losgeld, omdat hij een rijke vader heeft.'

'Maar nou weet hij dat hij de verkeerde heeft meegenomen,' zei Yoe Lan. 'Dan zal hij Moerad wel loslaten, hè?'

'Vast wel,' zei Josie. 'Volgens mij is Ari helemaal niet ontvoerd. Die duikt vast binnenkort ergens op. Die is gewoon met zijn grootmoeder naar de film of zo. Tjonnie dacht dat Moerad een prins was!'

'Dat is ie ook,' zei Yoe Lan ernstig.

Moerad voelde zich intussen helemaal geen prins. Hij voelde zich miezerig en ellendig. Leefde zijn moeder nog maar. Moerads moeder had haar eigen manier gehad om met problemen om te gaan. 'Laten we maar een hapje gaan eten,' zei ze altijd als er iets misging. 'Als je een volle maag hebt ziet de wereld er heel anders uit.'

Hij keek mismoedig naar het brood en de kaas. Dat de heerlijke hapjes die zijn moeder maakte de wereld mooier maakten, daar kon je nog wel in geloven. Maar of een homp oud brood en een stuk uitgedroogde kaas hetzelfde effect zouden hebben, daar twijfelde hij toch een beetje aan.

Maar goed, een volle maag is een volle maag. En inderdaad, toen hij een paar happen genomen had voelde hij zich iets beter. Goed genoeg om iedere centimeter van zijn gevangeniscel nog eens grondig te onderzoeken.

Op de wc-pot stond met mooie krullende letters 'De Porceleine Flesch.' Dat zou het merk wc wel zijn. Gek, hij had er nooit bij stilgestaan dat wc's ook merken hadden, net als auto's. En dat ze van porselein gemaakt waren, een soort aardewerk.

Hij had wel eens een pottenbakkerij gezien, in Fez, in Marokko. Nu zag hij, in plaats van ovens vol kruiken en schalen, ovens vol met ongebakken wc's voor zich.

Toen hij in die aardewerkfabriek was met zijn vader had hij stiekem met één vinger een kuiltje in de zachte klei van zo'n ongebakken kruik geduwd. Ergens in de wereld werd nu een waterkruik gebruikt met een klein deukje erin van zijn vinger.

Hij bukte zich om te kijken of er ook iemand was geweest die met zijn vinger tegen deze wc-pot had geduwd. Maar hij zag niets anders dan de letters van het merk, en vier witte dopjes aan de voet van de pot. Hij wipte zo'n dopje eraf. Er zat een schroef onder.

Natuurlijk, dacht hij. Die wc-pot zat vastgeschroefd aan de vloer. Er waren een heleboel dingen waar hij nooit bij stilgestaan had.

Hij had er bijvoorbeeld nooit zo duidelijk als nu bij stilgestaan dat een wc op het riool uitkwam. Als hij een klein flesje met een briefje erin door zou spoelen zou het uiteindelijk, over een paar weken, misschien in zee terechtkomen.

Moerad, zei hij streng tegen zichzelf, zo schiet je niet op. Het luchtrooster. Dat is je enige echte contact met de buitenwereld. Hij probeerde er een paar keer met een sprong bij te komen, maar het zat veel te hoog in de muur.

Hij ging op zijn porseleinen troon zitten. Wat nu? Als Moerad ergens over piekerde, en als zijn gedachten maar bleven rondtollen in zijn hoofd, dan hielp nog maar één ding: tekenen. Hij pakte zijn rollerpen, legde de rol wc-papier op het deksel van de pot, zodat hij een mooi tafeltje had, en ging op de grond ervoor zitten, op de opgevouwen badmat.

Hij trok een paar velletjes uit de rol papier en begon de strijders van DragonballZ te tekenen. Hij scheurde de velletjes papier niet af maar liet ze aan de rol zitten, zodat het stripverhaal op een film zou lijken.

Moerad trok zich van de echte serie niks aan. Hij liet Gotenks vechten met Babidi, en Krillin met Garlic Junior. Hij tekende Guz&Mez, Nappa en Bulma, en toen hij niks meer wist begon hij opnieuw. Hij tekende en tekende en vergat alles om zich heen.

Peter kreeg kramp in zijn kuiten. Hij zat opgevouwen tussen manden en dozen in de bestelbus van Tjonnie, met een wiebelend stuk golfkarton over zich heen.

Hij had erop gerekend dat de lange Surinamer in volle haast weg zou rijden als Josie er eenmaal voor had gezorgd dat hij lelijk in de knoop zat. En zo was het ook gegaan.

Tjonnie was achter het stuur gesprongen en was weggescheurd alsof de duivel hem op de hielen zat.

Hopelijk reed Tjonnie regelrecht naar het cateringbedrijf aan de Bos en Lommerweg. Als alles meezat zou hij Moerad meteen loslaten.

Maar alles zat niet mee. Ze hadden allang op de Bos en Lommerweg moeten zijn. Tjonnie reed heel ergens anders naartoe en Peter kon bijna niet meer stilzitten van de pijn in zijn kuiten.

'Kramp, verdamp!' siste hij tussen zijn tanden. De kramp werd erger. Bijna schreeuwde Peter het uit van de pijn. Toen vergat hij zijn voorzichtigheid en strekte zich languit uit op de vloer. Hij masseerde zijn pijnlijke spieren en zuchtte van verlichting.

Het busje stopte plotseling.

Peter kroop vlug terug in zijn hoekje en trok het golfkarton over zich heen. Hij hoorde Tjonnie toeteren en toen uitstappen en het portier dichtslaan.

Opeens hoorde hij stemmen, vlak bij de auto. Peters hart ging als een razende tekeer. Natuurlijk, Tjonnie had getoeterd om iemand te laten weten dat hij er was. En die iemand stond nu bij de auto.

'*What the hell...*'

De benauwde stem van Tjonnie, die antwoordde in krakkemikkig Engels. '*I think you took the wrong guy.*'

'*How do you know*?' Er was nog een derde man.

'Het is een Marokkaanse jongen uit het internaat,' zei Tjonnie. 'Ik herkende hem later pas.'

'Stomme idioot.'

'Hoor wie 't zegt.'

'*Stop it!*'

Peter begreep het niet helemaal. Tjonnie vertelde niets over Josie en Yoe Lan. Die hadden hem toch in de keuken aan de tand gevoeld? Het leek alsof Tjonnie geen open kaart speelde met zijn maten.

De mannen liepen een eindje van de auto vandaan en Peter kon niet alles meer verstaan. Uit losse woorden en halve zinnen begreep hij dat Tjonnie Moerad wilde laten gaan, omdat hij niet prins Ari was. Maar de anderen waren het niet met hem eens. Hun stemmen werden luider. 'Zijn vader heeft ook geld genoeg,' zei de een. 'Het zijn allemaal rijkeluiskinderen daar. We zijn nu eenmaal zover, we moeten doorzetten.'

'Waar is die verkeerde jongen nu?' vroeg de ander.

'In mijn zaak,' zei Tjonnie.

'Oké. We hebben intussen een betere plek. Jij rijdt naar je bedrijf en brengt die jongen naar je auto. Wij moeten nog iets ophalen en dan komen we achter je aan. Dan rijden we voor je uit en verplaatsen we hem.'

Plotseling hoorde Peter voetstappen en een harde stem ongeveer recht in zijn oor. Peter schrok en trok zijn hoofd opzij. Het kwam met een klap tegen de metalen wand van het busje aan.

'*Ssjt, what's that*?' zei een stem. '*I heard something*.'

De mannen hadden hem gehoord. Peter hield zijn adem in.

De zijdeur van het busje werd opengeschoven. Iemand keek naar binnen. Peter dacht dat zijn hart stilstond. Het duurde een eeuwigheid. Peter had zijn ogen dichtgedaan. Hij dacht aan Bolke de Beer.

Op de zolder van het tehuis stonden een heleboel oude spullen. Toen Peter jonger was had hij daar soms middagen zitten lezen in oude kinderboeken. *Bruintje de Beer* en *Arendsoog* en stripverhalen over Kick Wilstra, de voetballer.

En Bolke de Beer, die zijn ogen dichtdeed als hij zich voor iemand verstopte, omdat hij dacht dat niemand hem kon zien als híj zijn ogen dichthield.

Dus hield Peter zijn ogen dicht, en het hielp. De deur werd dichtgeschoven. Peter ademde uit. De deur werd aan de buitenkant op slot gedaan. Iemand liep om de auto heen en deed de andere zijdeur ook op slot.

Peter kon geen kant meer op, behalve vooruit, met de auto mee. Hij zat gevangen.

Zijn rijdende cel startte en reed weg.

Josie en Yoe Lan zaten in de achtertuin van het tehuis en wachtten op een telefoontje van Peter. Ze hadden de witte houten tuinstoelen drooggeveegd en de bladeren die craan vastgeplakt zaten eraf gehaald.

Ze hadden allebei een boek bij zich, maar ze lazen niet. Ze waren nu ongerust over Moerad én over Peter.

Kokkie was teruggekomen in de keuken toen Tjonnie net weg was. 'Ik weet niet wat er aan de hand is,' had ze gezegd, 'maar ik weet zeker dat Tjonnie een goeie jongen is.'

'Wij weten wel zeker van niet,' zei Josie. Meer wilde ze aan Kokkie niet kwijt. Niet dat ze haar niet vertrouwde, maar Kokkie was nu eenmaal dikke maatjes met Tjonnie.

'Luister,' zei Kokkie. 'Tjonnie heeft in de gevangenis gezeten...'

'Zie je wel,' zei Josie.

'Hij heeft een moeder in Nickerie, in Suriname. Vroeger kwam ze hem altijd hier opzoeken, maar dat gaat niet meer zo makkelijk. Als wij familieleden willen laten overkomen zijn er allerlei moeilijke regels, en meestal komen ze het land niet in.

Nu is zijn moeder erg ziek. Tjonnie is goud gaan smokkelen om aan geld te komen voor haar operatie.

Zijn moeder betekent alles voor hem. En toen is hij op Schiphol door de douane betrapt.'

'Dus nu heeft hij Moerad ontvoerd, of eigenlijk Ari, om het nog eens te proberen,' zei Josie.

'Daar geloof ik niets van,' zei Kokkie, 'maar ik weet wel dat Tjonnie voorwaardelijk vrij is, en als hij nu weer in de problemen komt ziet het er slecht voor hem uit.'

'Jammer dan,' zei Josie.

'Zeggen jullie alsjeblieft nog niets tegen de huisvader,' smeekte Kokkie. 'Ik bel Tjonnie meteen.' Ze koos zijn nummer en wachtte. 'Zijn telefoon staat niet aan,' zei ze, 'dat is heel raar. Tjonnie is altijd bereikbaar. Hij moet wel, voor zijn zaak.'

Ze zette de telefoon af en zuchtte. 'Ik probeer het straks nog een keer. Ik zal met Tjonnie praten en vragen hoe het zit. Als er echt iets mis is zal ik het jullie meteen zeggen.'

'Goed dan,' gaf Josie toe. Misschien hadden ze de hulp van Kokkie later nog hard nodig. Bovendien was ze *famiri* van hen, familie, dat had ze zelf gezegd. En zo voelde het ook. Als je eigen vader en moeder ver weg zijn dan is het belangrijk als er een lieve kokkin in huis is die je altijd verwent en naar je luistert als je problemen hebt.

'Wat heeft Tjonnies moeder voor een ziekte?' vroeg Yoe Lan. 'Gaat ze dood, net als mijn moeder?'

Kokkie gaf haar een zoen op haar hoofd. 'Nee hoor, me schatje,' zei ze. 'Maak jij je nou maar niet druk.'

Maar Yoe Lan maakte zich wel druk. Ze staarde zonder te lezen naar haar opengeslagen boek. 'Woelf zal zich wel afvragen waar ik blijf,' zei ze tegen Josie. 'Het is zaterdag.'

'Dat weet hij toch niet,' zei Josie schamper. 'Dat het zaterdag is. Of heb ik je hond nou beledigd?'

'Woelf is niet beledigd als jij iets doms zegt,' zei Yoe Lan. Ze schrok er zelf van, maar ze zag tot haar opluchting dat Josie lachte. Nu Moerad er niet was om het voor Yoe Lan op te nemen, moest ze zelf maar een beetje flinker worden.

Er kwam een jongen de hoek van het huis om. Hij bleef op een afstandje van de twee meisjes staan. Zijn lange armen bungelden onhandig langs zijn magere lijf.

'Otto!' zei Josie verbaasd. 'Wat doet die nou hier.'

'Misschien weet hij iets over Moerad,' zei Yoe Lan. Ze sprong op en rende naar Otto toe.

'Ik kwam vragen of jullie al iets gehoord hadden,' zei Otto tegen Josie toen hij bij de tuintafel stond. 'Ik wou iets doen. Helpen zoeken, of zo...' Hij maakte met de punt van zijn schoen een kuiltje in het grind.

'Nee,' zei Josie, 'we hebben nog niks...' Haar telefoon ging.

'Ja,' fluisterde ze. Ze luisterde een tijdje. Peter fluisterde zeker, want Josie moest telkens 'wat?' zeggen omdat ze hem niet verstond. Yoe Lan trok aan haar mouw, maar Josie knikte nadrukkelijk dat het Peter was en gebaarde haar dat ze moest wachten. 'Oké,' zei ze toen. 'Otto is hier.' Ze stopte haar mobieltje weg.

'Vlug,' zei ze tegen Yoe Lan. 'Tjonnie is onderweg naar zijn bedrijf om Moerad op te halen. Er zijn twee andere mannen bij betrokken, handlangers. Otto, ga je met ons mee?'

'Natuurlijk,' zei Otto.

Onderweg vertelde Josie dat Peter gezegd had dat ze Woelf mee moesten nemen.

'Maar dat is de andere kant op!' zei Yoe Lan.

'Ik heb gezegd dat Otto erbij is,' zei Josie, 'en dat we geen tijd hebben om Woelf te halen. Peter zit achter in de bestelwagen, maar ze hebben de deuren op slot gedaan. Wij moeten zorgen dat we er eerder zijn dan Tjonnie, en dan, als Tjonnie is uitgestapt, Peter uit de auto laten. Dan volgen we met ons vieren Tjonnie en bevrijden Moerad, voordat die handlangers komen.'

Ze fietsten zo vlug ze konden naar de Bos en Lommerweg. Toen Yoe Lan hen niet langer bij kon houden duwde Otto haar. Gelukkig waren ze op tijd. Toen ze bij het bedrijfje kwamen stond de bestelwagen van Tjonnie er nog niet.

'Fietsen verstoppen,' zei Josie. Maar dat was niet nodig. Een eindje verder in de straat stond een halfvol fietsenrek, waar hun fietsen niet zouden opvallen.

Het bedrijfje van Tjonnie zag eruit als een winkel of snackbar, met een pleintje aan de voorkant en een grote glazen winkelruit, waar met witte letters TJONNIES CATERING op stond.

Er was een steegje aan de linkerkant, of eigenlijk een soort tuinpad met struiken erlangs, en daar renden ze in. Aan de achterkant was een plaatsje, waar stapels kratten stonden, een grote vuilcontainer en een hoop oude rommel.

Otto probeerde of de achterdeur van het bedrijfje open was, maar dat was niet zo. Toen keken ze achter de container. Daar was genoeg ruimte om je te verstoppen.

Josie keek rond om te zien of ze ook konden ontsnappen van het plaatsje, als dat nodig was. Er was een schutting aan de achterkant, waar ze in geval van nood overheen konden. Zij in elk geval, en Otto ook, maar voor Yoe Lan werd het wel moeilijk.

Ze sleepte een vuilnisbak naar de schutting, ging erop staan en keek eroverheen. Aan de andere kant waren de tuintjes en binnenplaatsjes van de huizen aan de overkant.

Josie keek omhoog en zag een vrouw die op het balkon van haar huis naar hen stond te kijken. Ze vroeg zich waarschijnlijk af wat die kinderen daar aan het uitspoken waren.

'Psst!' zei Josie. Otto en Yoe Lan keken naar haar. Ze gebaarde naar de overkant. 'Wij spelen verstoppertje,' zei ze zacht. Otto en Yoe Lan knikten.

Josie liet de vuilnisbak bij de muur staan voor Yoe Lan en ging met haar gezicht naar de muur staan. Ze begon hardop te tellen. Ze hoopte maar dat de bestelauto nog even zou wachten.

Yoe Lan en Otto gingen gebukt achter de container staan. Toen Josie 'honderd' had geroepen en zich omdraaide was de vrouw op het balkon verdwenen.

Josie ging bij Yoe Lan en Otto staan, die overeind kwamen. Ze hoefden pas te bukken als ze de auto van Tjonnie hoorden aankomen.

Ze stonden nog maar net alle drie achter de stinkende container, toen ze een auto het pleintje aan de voorkant hoorden op rijden.

Ze wachtten tot ze het portier van de auto hoorden dichtslaan. Toen slopen ze door het steegje, bleven achter de struiken staan en gluurden om de hoek. De deur van het cateringbedrijf stond op een kier. Maar de auto, die met de bagageruimte recht voor die deur was geparkeerd, was niet de bestelauto van Tjonnie!

Moerad had heel lang, op de grond voor de wc, aan zijn DragonballZ-strip zitten tekenen. En al die tijd had hij nergens aan gedacht. Maar nu was hij stijf geworden door de ongemakkelijke houding.

Hij rekte zich een paar keer uit en nam toen op het deksel van zijn 'porseleinen troon' plaats, nadat hij er eerst, heel oneerbiedig, in geplast had. Hij moest zijn hersens nog eens laten kraken, want als hij helemaal niets te doen had werd hij gek.

Hij kon niets veranderen aan zijn situatie. Zijn zakken waren door zijn ontvoerder leeggehaald, en in de badkamer was niets achtergelaten waarmee hij iets zou kunnen beginnen. Er lag alleen een stuk zeep op de wastafel.

Als je een scherp voorwerp had kon je achter de badkamerdeur gaan staan wachten tot er iemand kwam, en ermee steken als de persoon in kwestie binnen was. Of je kon een pistool snijden uit de zeep om er iemand mee te bedreigen, een heel klein minipistooltje, en dat zwart maken met... Ja, met wat?

Met stront, dacht hij. Maar die is niet zwart. Hij keek naar de wastafel. In de afvoerbuis zat een bocht. Dat stuk buis heette de zwanenhals, dat wist hij van de klusjesman. En in die zwanenhals zat een zwarte smurrie.

Het tehuis had een vaste klusjesman, en altijd als die kwam stonden er een paar jongens om hem heen om naar hem te kijken als hij aan het werk was. Dat deden ze ook bij de tuinman, de glazenwasser en de loodgieter.

Moerad lette altijd op hoe de jongens eruit zagen, hoe ze stonden en liepen en praatten, want al die dingen gebruikte hij voor zijn strips. Het komt doordat we onze vaders missen, dacht hij. Daarom lopen we achter die kerels aan om ze aan het werk te zien.

Met de zwarte drab uit de zwanenhals kon hij zijn pistool verven, dacht hij. Maar omdat dit plan waarschijnlijk alleen in een strip of in een film zou werken, besloot hij het te bewaren als reservetruc voor uiterste nood.

Hij besefte wel dat dit besluit vooral werd ingegeven door zijn afkeer van zwarte drab. Een echte held geeft daar niet om. Hij grinnikte om zichzelf.

Hij voelde zich opeens stukken beter. Ik ben Moerad, dacht hij. Ik ben slim en sterk en grappig en ik kan het beste tekenen van de klas, samen met Otto. Ik laat me niet op mijn kop zitten.

Hij pakte de rubber stop die naast het afvoerputje van de douche lag. Er zat een ijzeren ringetje in. Hij voelde aan de uiteinden van het ringetje. Erg scherp waren die niet. 'Je moet een gegeven paard niet in de bek kijken,' mompelde hij. Hoewel Yoe Lan zou zeggen dat een paard een mond had.

De gedachte aan Yoe Lan vrolijkte hem nog meer op. Vol goede moed begon hij het ringetje uit de rubber stop te draaien. Toen dat gelukt was ging hij op de rand van de douchebak zitten en gebruikte het ringetje om de schroefjes los te draaien waarmee het roostertje op het afvoerputje vastzat.

Toen het ronde roostertje los was waste hij het af. Daarna wipte hij de witte plastic noppen van de voet van de wc. Hij zette de zijkant van het roostertje, die zo dik was als een schroevendraaier, op een van de schroeven waarmee de wc-pot aan de grond was bevestigd.

Het paste precies. In een ommezien had hij de wc-pot losgeschroefd. Hij wrikte en trok hem een beetje van zijn plaats. Toen draaide hij het bochtige sluitstuk los waarmee de wc aan de rioleringsbuis vastzat en ook de smallere verbinding met de stortbak.

Hij schoof de pot onder het luchtroostertje en ging op het neergeklapte deksel staan. Hij kon erbij! Hij voelde met zijn vinger hoe groot de sleufjes van het rooster waren. Een opgerold stukje papier zou erdoorheen kunnen.

Een stukje wc-papier bijvoorbeeld, waar 'help!' op stond en 'ik zit hier opgesloten, Moerad.'

Hij stapte van zijn porseleinen opstapje, pakte een stuk wc-papier en zijn pen. En toen merkte hij dat hij te veel DragonballZ getekend had.

De pen was leeg.

Josie, Otto en Yoe Lan keken geschrokken naar de vreemde auto die daar op het pleintje van Tjonnies catering stond. Dit was niet de bestelwagen die ze verwacht hadden te zien. Het was een gewone personenauto.

Als de bezoeker Tjonnie niet was, wie was het dan wel? En waar was Peter? Ze hadden geen tijd om daarover na te denken. Binnen ging een licht aan. En toen nog één. Ze hoorden gestommel.

'Was Woelf er maar,' zei Yoe Lan bibberig. Ze was niet dol op Tjonnie, maar erg bang voor hem was ze ook niet. Een boef die je kende was toch beter dan een die je nooit eerder had gezien.

'We moeten het kenteken van die Volvo opschrijven,' fluisterde Otto tegen Josie. 'Heb je een pen bij je?'

Josie knikte. Ze schreef meteen het kenteken op.

'Ik ga naar binnen,' zei Otto. 'Ik verstop me, en dan kan ik jullie erin laten als ze weg zijn. Als ze Moerad tenminste niet meenemen.'

'Wat bedoel je met "ze"?' vroeg Yoe Lan. 'Het kan best maar één iemand zijn.'

'Het zijn vast die mannen waar Peter het over had,' zei Otto. 'Tjonnies handlangers.'

'Die komen heus niet weg,' zei Josie grimmig. 'Ik

laat ze niet zomaar gaan, hoor.'

'Probeer niks te doen, Josie, alsjeblieft,' smeekte Otto. 'Dat is veel te gevaarlijk. We weten niet waar die kerels toe in staat zijn. Als ze Moerad bij zich hebben, bel dan meteen de politie.' Hij glipte naar binnen.

Josie en Yoe Lan gingen om de hoek staan, achter de struiken.

Na een tijdje ging de deur van het bedrijfje open. Er kwamen twee mannen naar buiten, een lange en een kortere. Josie en Yoe Lan doken omlaag en hielden hun adem in. Hadden ze Moerad bij zich?

Maar de man die als laatste uit het huis was gekomen trok de deur achter zich dicht. Moerad was dus nog binnen.

De mannen bleven op het pleintje staan. Ze hadden ruzie. In elk geval stonden ze tegen elkaar te schreeuwen. In het Engels. Josie ving een woord op dat klonk als 'gremme'. *Grammar* misschien? Maar wat bedoelden ze daar dan mee? Na een paar minuten stapten de mannen in de auto en reden weg.

'Vlug,' fluisterde Josie, 'laten we naar binnen gaan, voordat Tjonnie komt.' Ze begreep helemaal niet waarom de twee mannen gekomen waren in plaats van Tjonnie, of in elk geval vóór Tjonnie, maar ze had geen tijd erover na te denken.

Moerad moest binnen in het cateringbedrijf zijn, dat had Tjonnie toch tegen zijn handlangers gezegd, volgens Peter, en Josie hoopte met heel haar hart dat die mannen hem geen kwaad gedaan hadden. Misschien waren ze alleen gaan kijken of hij inderdaad in het cateringbedrijf was, en of ze echt de verkeerde jongen ontvoerd hadden.

Ze duwde tegen de deur, die openging. Het slot was geforceerd, de mannen hadden geen sleutel gehad. ‘Otto,’ riep ze zachtjes. Otto kwam uit het donker tevoorschijn. ‘We moeten licht maken,’ zei hij.

‘Maar als Tjonnie komt...’ zei Josie zenuwachtig. ‘Die kan nu elk ogenblik hier zijn. En als hij ziet dat de voordeur openstaat...’

‘Niks aan te doen,’ zei Otto, ‘ik wil weten waar Moerad zit.’

Ze vonden een lichtknopje bij de voordeur. Er kwam maar één andere deur op de gang uit, en die openden ze met bonzend hart. Ze zagen de donkere omtrekken van dozen en kisten in een opslagplaats.

Otto tastte naar het lichtknopje naast de deur. Opeens was de hele ruimte fel verlicht. Het was een lang vertrek, met kisten vol voorraden opgestapeld langs de muren, en een complete keuken aan de achterwand, naast de deur die naar het plaatsje leidde.

Otto liep voorop. Hij ging meteen naar de achterdeur. De sleutel zat erin. Hij opende de deur en sloot hem weer. ‘Josie,’ zei hij. ‘Als jij op de uitkijk gaat staan bij de voordeur, dan kunnen we hierdoor ontsnappen als Tjonnie aan komt rijden.’

Josie knikte en ging terug naar de voordeur. Het was een goed plan.

Otto en Yoe Lan liepen haastig rond, en keken of ze de plek konden vinden waar Moerad verborgen werd gehouden. Ze keerden dozen om en verschoven kisten en kasten, ze keken op de vloer of er misschien een luik was dat toegang gaf tot de kelder.

Ze klopten op de muren om te horen of er ergens een holle ruimte was. Ze zochten met hun ogen het plafond af naar een of andere berging.

Ze keken voor de zekerheid in de keukenkastjes en onder het aanrecht. Ze keken in de wc die in een hoek van het vertrek was ingebouwd.

Ze deden de deur naar het plaatsje opnieuw van het slot en keken daar nog eens goed rond. Ze keken zelfs in de stinkende container.

'Moerad!' riepen ze zachtjes. Maar er kwam geen antwoord.

Yoe Lan begon zachtjes te huilen. Ze probeerde er niet aan te denken wat het betekende als ze Moerad niet konden vinden. Of hij was ergens in het bedrijf, maar kon niets laten horen, of hij was heel ergens anders.

Tjonnie kwam niet aanrijden terwijl ze aan het rondneuzen waren in zijn bedrijfje. Dat was geluk hebben.

Maar hun verdwenen vriend vonden ze ook niet. En dat was hele dikke pech.

Peter verging van de honger. Het laatste wat hij gegeten had was het koffiebroodje dat hij uit de keuken had meegepikt. Dat was al niet geweldig voor een middagmaal, maar nu was ook de tijd van het avondeten zo zoetjesaan aangebroken.

Hij had er niet op gerekend dat hij zo lang in de auto zou moeten zitten. Tjonnie zou naar de plek rijden waar hij Moerad verborgen hield, op zijn eigen cateringbedrijfje dus, en dat was vlakbij en zeker geen uur rijden.

Peter begreep er niks meer van. Waar reed Tjonnie naartoe? Had hij Moerad ergens anders opgesloten? Ging hij helemaal niet naar Moerad maar naar een ander adres, een andere afspraak?

Peters maag rammelde zo luid dat hij bijna bang werd dat Tjonnie het zou kunnen horen. En dat terwijl hijzelf, Peter, achter in de bestelbus midden tussen de lekkernijen zat!

Naast hem bijvoorbeeld stond een doos met kokosnoten. Hij had alleen maar een spijker nodig om er een gat in te slaan en dan kon hij de zoete kokosmelk drinken. Maar hij had geen spijker. Aan zijn zakmes zat wel een kurkentrekker, maar die was vast niet scherp genoeg, en hij had een hamer nodig om erop te slaan.

Hij had ook een doos met kousenband gezien, de sappige boontjes waar Kokkie de roti's met kip mee vulde. Honger maakt rauwe bonen zoet, dacht Peter, maar ongekookte kousenband, dat ging te ver.

Er waren pakken met shoarmabroodjes die nog moesten worden afgebakken, en er stonden blikken met allerlei eten, heel veel blikken die je eenvoudig met een blikopener zou kunnen openen. Als je die bij je had.

Dorst had Peter niet. Er stonden kratten met Fernandes limonade, en die flessen hadden schroefdoppen. De suiker stilde de honger ook wel een beetje.

Hij durfde alleen niet te veel te drinken, want inmiddels moest hij nodig plassen. Maar ook dat was het ergste niet. Peter maakte zich ongerust over Josie en Yoe Lan, die nu misschien met Otto op hem stonden te wachten bij Tjonnies catering. De twee handlangers zouden daar nu ook zijn. Die gedachte beviel Peter helemaal niet.

Hij durfde niet nog eens te bellen. Ook al stond het mobieltje van Josie op de trilfunctie, dan nog kon ze schrikken als het ding overging, en wie weet in wat voor schuilplaats ze zich op dit moment stil moest houden? Nee, dat was onzin. Natuurlijk had Josie haar telefoon uitgezet als ze ergens verstopt zat.

Een sms'je was beter. Dat zou ze pas zien als ze in veiligheid was, ergens waar het rustig was en ze op haar gemak kon nadenken over de boodschap. Maar wat was de boodschap? Hij zette zijn telefoon aan om in elk geval een berichtje naar Josie te sturen.

Op dat ogenblik remde Tjonnie. De auto stond stil. Peters hart ook. Waren ze bij de plek waar Moerad werd vastgehouden?

De zijdeur van het busje werd met veel kabaal opengeschoven. Tjonnie begon de dozen en kisten uit te laden. Hij zong een liedje, maar het was geen vrolijk wijsje. Het waren ook geen vrolijke woorden. 'Dede' hoorde Peter telkens, en hij had genoeg Surinaams op het schoolplein geleerd om te weten dat dat 'dood' betekende.

Peter probeerde onhoorbaar te ademen. Hij hoopte met zijn hele hart dat Tjonnie bij een klant was aangekomen, en dat hij daar een bestelling ging afleveren. Toen voelde hij iets trillen. Hij bedacht met schrik dat hij net zijn telefoon had aangezet en dat nu iemand hem probeerde te bereiken. Maar het was de telefoon niet. Het waren zijn benen die onbedaarlijk waren begonnen te beven. Peter zat gewoonweg te sidderen van angst.

Het was bijna een opluchting toen het grote stuk karton van zijn hoofd werd getrokken en hij recht in het verbaasde gezicht van Tjonnie keek.

Het zou moeilijk zijn te zeggen wie van de twee het hardste schrok. Tjonnie deed een stap achteruit, struikelde over een doos en tuimelde achterwaarts het busje uit.

Peter kwam overeind. De schrik had hem kalm gemaakt. Alleen suisde zijn hoofd een beetje. Hij klauterde het busje uit, stapte over Tjonnie heen die bezig was overeind te krabbelen en rende weg. Hij had maar één ding in zijn hoofd, en dat was niet op de vlucht slaan. Bij de eerste de beste boom bleef hij staan. Hij moest ontzettend nodig plassen.

Het was een droevig drietal dat terugfietste naar huis. Ze hadden Moerad niet gevonden, en van Peter hadden ze niets meer gehoord.

Bij de afslag naar het woonwagenterrein namen ze afscheid van Otto. Josie had onderweg naar Roel gebeld om te zeggen dat ze zomaar wat rondgefietst hadden om Moerad te zoeken, en dat Peter in zijn eentje een andere kant op was gegaan.

De huisvader was eerst natuurlijk boos geweest, maar tenslotte had hij toch wel begrepen dat ze Moerad niet zomaar aan zijn lot konden overlaten.

Over Tjonnie had Josie niks gezegd, en daarom was ze verbaasd dat ze Kokkie samen met Roel aan de keukentafel zag zitten toen ze binnenkwamen. Kokkie had haar vakantie kennelijk een dagje uitgesteld. Roel zat terneergeslagen met zijn hoofd omlaag. Dat was een akelig gezicht, en ze wou maar dat hij weer gewoon irritant vrolijk was en zich in de handen wreef van plezier.

Kokkie zag er ook verdrietig uit. Ze maakte zich zeker zorgen over Tjonnie. 'Eet gauw wat, arme schapen,' zei ze. Ze warmde een bord pasta op in de magnetron voor Josie. Ze had ook een broodje vegaburger voor Yoe Lan.

'Heb je nog wat koffie staan, Kokkie?' vroeg Roel.

‘Ik geloof dat ik griep krijg, ik ben zo moe.’

Dat was het dus, dacht Josie. De huisvader maakte zich geen zorgen, hij was gewoon uitgeput, zoals altijd aan het begin van de vakantie. Zíj had op de eerste vakantiedag altijd de pest in. Waarom kon zij niet fijn bij haar ouders zijn, en andere bewoners van het internaat wel? Maar deze keer had ze wel iets anders aan haar hoofd. Ze zuchtte en at met lange tanden haar spaghetti bolognese.

‘Geef de suiker eens aan,’ zei Roel tegen Yoe Lan. Ze gaf hem met een triest gezicht de suikerpot. De huisvader deed voor de derde keer suiker in zijn koffie. Josie knipoogde naar Yoe Lan om haar op te vrolijken, maar echt erom lachen konden ze niet.

‘Waar blijft Peter?’ vroeg Roel.

‘Hij belde net dat hij eraan komt,’ zei Josie.

‘En waar...’ begon Roel. In het kantoortje ging de telefoon. ‘Dat is vast de prins weer,’ zei de huisvader terwijl hij opstond. ‘Die belt de hele avond al. Alsof ik Ari tevoorschijn kan toveren. Ik zal hem zeggen dat ik naar bed ga.’

Yoe Lan keek bezorgd naar Josie. Ze zouden sjeik Zadeh eigenlijk moeten vertellen dat Ari misschien helemaal niet ontvoerd was en dat de kidnappers Moerad hadden meegenomen in zijn plaats. Maar dan kwam iedereen erachter dat ze meer wisten, en dan zouden ze Tjonnie moeten verraden. Waarom had Peter ook niks meer van zich laten horen?

Zodra Roeland de keuken uit was, begonnen de tranen over Kokkies gezicht te lopen. Ze veegde ze driftig weg en probeerde iets te zeggen.

'We hebben niks over Tjonnie gezegd, tegen niemand,' zei Josie troostend.

Kokkie schudde haar hoofd. Ze snoot haar neus in de punt van haar schort, stond op, maakte het schort los en gooide het in de wasmachine die naast de deur naar de bijkeuken stond. 'Alles in de wasmasjien,' zong ze in een poging zichzelf en de kinderen op te vrolijken.

'Het is niet om Tjonnie,' zei ze toen ze weer aan tafel zat. 'Mijn zus Jennie komt me niet opzoeken. Ze krijgt geen visum.'

'Wat is een visum?' vroeg Yoe Lan.

'Ze mag Nederland niet in,' zei Kokkie.

'Waarom niet?' vroeg Josie.

Kokkie haalde haar schouders op. 'Dat vertellen ze er nooit bij. Als we geweten hadden dat we zo gescheiden zouden worden van onze families, waren we nooit onafhankelijk geworden. Ze doen net alsof we zomaar buitenlanders zijn, als alle andere!'

Een boze Kokkie was beter te verdragen dan een verdrietige, dacht Josie.

Kokkie had zich hersteld. 'Het geeft niet,' zei ze. 'In de zomer ga ik naar Suriname. Ik mag mijn land wél in, al heb ik een Nederlands paspoort. En nu moeten we het over Moerad hebben.'

Josie vertelde hoe de stand van zaken was.

Kokkie boog zich naar Josie en Yoe Lan toe. 'Ik heb een idee,' fluisterde ze. Ze keek schichtig naar de deur. 'Voordat Tjonnie werd gearresteerd op Schiphol, vanwege die smokkel, had hij zijn cateringbedrijf op een andere plaats. Daar was het veel goedkoper, en ook beter, maar dat bedrijventerrein gaan ze afbreken om er kantoren te bouwen. Tjonnie was daar heel kwaad over, daarom weet ik het nog goed.'

'Waar is dat bedrijventerrein?' vroeg Josie.

Kokkie aarzelde.

'Als je het niet zegt, moeten we de huisvader en de politie over Tjonnie vertellen,' zei Josie.

'Beloof me dan dat jullie morgenochtend pas gaan,' zei Kokkie. 'Intussen probeer ik Tjonnie nog te bereiken. Kijk, als hij er echt iets mee te maken heeft, wat ik me niet kan voorstellen, dan is Moerad veilig, en Ari ook. Tjonnie zou ze nooit iets doen.'

'Dat wil ik best van je aannemen,' zei Josie scherp. 'Maar Tjonnie is niet alleen. Hij heeft handlangers. En dat zijn niet zulke engeltjes als die Tjonnie van jou.'

'Handlangers?' zei Kokkie. Ze keek geschrokken naar Josie.

'Zo veilig is Moerad dus niet,' zei die. 'Je moet ons nu zeggen waar dat bedrijventerrein is. Wij mogen vanavond toch niet meer weg. Als Moerad morgenochtend nog niet terug is, en we niks van Peter horen, dan gaan we Roel en de politie alles over Tjonnie vertellen.'

Kokkie had geen keus. 'Het is aan de Sartreweg, je weet wel, achter het tuincentrum.'

'Welk nummer?' vroeg Josie.

'Dat weet ik niet. Maar ik ben er pas nog langsgereden. Er staat daar niets meer langs die weg, alle huizen zijn afgebroken. Alleen op het bedrijventerrein staan nog loodsen en fabriekjes en kantoren.' Ze stond op en begon met langzame, vermoeide bewegingen de tafel af te ruimen.

'Als Roeland terugkomt, wil je dan tegen hem zeggen dat wij al naar bed zijn?' vroeg Josie. 'Kom, Yoel, we gaan naar boven.'

Boven aan de trap zeiden ze elkaar welterusten.

Yoe Lan ging op haar sprei zitten en keek naar de lege bedden van haar kamergenootjes. Dat deed ze elk weekend en alle vakanties. Soms pakte ze een paar van haar poppen en speelgoedbeesten en zette die op de andere bedden, om zich minder alleen te voelen.

Nu bekeek ze de foto die Moerad had genomen van Woelf. Hij had hem haar cadeau gedaan toen ze hun vorige avontuur beleefd hadden, met de diamantdieven en het verdwenen weesmeisje.

Maar dat was een gezellig en vrolijk avontuur geweest, dacht Yoe Lan treurig. Het was ook wel gevaarlijk en spannend geweest, maar ze waren allemaal bij elkaar gebleven en hadden alle problemen samen opgelost.

En nu zat Moerad ergens in zijn eentje opgesloten. Misschien huilde hij wel, of was hij heel bang. Yoe Lan kon onmogelijk in haar lekkere warme bed gaan liggen en Moerad in de kou laten zitten.

Ze hoorde de keukendeur beneden open- en dichtgaan. Kokkie was vertrokken. Yoe Lan stond op en liep heel zacht naar de kamer van Josie. Ze klopte aan en ging naar binnen.

Josie lag al in bed. Dat was vlug. Ze was zeker heel moe.

'Sorry,' zei Yoe Lan. Ze draaide zich om om weer weg te gaan.

'Wacht even,' zei Josie. Ze ging overeind zitten en deed het nachtlampje aan. 'Zo, ben je er nu al,' zei ze vrolijk.

'Nu al?' Yoe Lan begreep haar niet. Ze hadden toch niks afgesproken?

Josie sloeg het dekbed van zich af. Ze had al haar kleren nog aan! Alleen haar schoenen had ze uitgetrokken. Ze lachte om Yoe Lans verbaasde gezicht. 'Het is heel gevaarlijk om zo laat op de avond nog naar Moerad te gaan zoeken op een verlaten terrein,' zei ze. 'Er rijden ergens twee gemene kerels rond, en met Tjonnie mee drie. Het zou heel dom van me zijn om daar met een meisje van acht jaar op af te gaan.'

'Een heel flink meisje en een hele grote sterke hond,' zei Yoe Lan.

'Dan nog,' zei Josie. 'Het is niet verantwoord, zoals Roel zou zeggen. Maar als het meisje van acht uit zichzelf op het idee komt om zoiets gevaarlijks te doen, dan is het mijn plicht om mee te gaan. Want ik kan haar toch niet van gedachte laten veranderen, en misschien gaat ze anders wel stiekem in haar eentje.'

Nu lachte Yoe Lan ook. Het was niet alleen om de grappige manier waarop Josie over haar praatte, het was vooral van opluchting. Alles was nog steeds even naar en verkeerd, maar zolang je maar iets kon dóén was het uit te houden. Als je maar niet in je eentje in je bed moest liggen en denken aan je twee beste vrienden buiten in de donkere nacht.

Ze wachtten tot ze de huisvader boven hoorden komen. Grieperig of niet, de eerste vakantiedag ging hij altijd heel vroeg naar bed, om 'alle zorgen van zich af te slapen', zoals hij zei. En hoe meer zorgen hij had, hoe meer slaap hij zeker kreeg, want na amper tien minuten begon het bekende gesnurk.

Yoe Lan ging haar jas en een warme sweater halen. Josie trok haar schoenen aan en keek tegen beter weten in of Peter een boodschap had achtergelaten. Misschien had hij net gebeld toen ze op de wc was en haar mobiel op haar bed lag. Maar er waren geen berichten, en ze zette haar gsm uit. 'Kom,' fluisterde ze toen Yoe Lan terug was.

Ze slopen naar beneden en deden de achterdeur van het nachtslot.

Het was fris buiten. En het was heel stil. Josie en Yoe Lan liepen op hun tenen naar het fietsenhok. Ze hielden hun fietssleuteltjes klaar. Achter hen lag het tehuis in diepe rust. En voor hen stond het roerloze schuurtje te waken over hun fietsen.

Er knerpte grind.

Josie hield met haar ene hand Yoe Lan tegen. Ze bleven doodstil en met bonzend hart staan. Bij de deur van de schuur hadden ze bijna onmerkbaar iets zien bewegen. Het was te groot om een verdwaalde kat te zijn.

Hun ogen raakten gewend aan het schemerdonker. Yoe Lan kneep Josie in haar hand en maakte een bijna onhoorbaar geluidje. Josies haren gingen overeind staan. Bij de deur van het schuurtje stond iemand hen doodstil op te wachten. Een lange gestalte. Een man.

'Fijn dat je vast bij een boom bent gaan staan.' Tjonnie draaide Peter ruw om en gaf hem een stomp in zijn buik. 'Jij bent die kleine bemoeial uit het internaat, ik herkende je meteen.'

Peter had Tjonnie wel horen aankomen, maar hij had niet kunnen ophouden met plassen. Bovendien kon hij nergens heen vluchten. De maan was bijna vol, en bescheen een kale vlakte met een landweg erdoorheen.

Terwijl Peter even uitgeschakeld was door de dreun sloeg Tjonnie een touw om zijn armen en benen en bond hem aan de boom vast. 'Even bezig,' zei hij, en liep weg.

Schreeuwen had geen zin. Er waren nergens huizen in de buurt. Vreemd genoeg was er ook geen bedrijfje waar Tjonnie zijn spullen kon opslaan, geen klant aan wie hij een bestelling ging brengen. Waarom was de auto midden in dit niemandsland gestopt? Om uit te laden, zo te zien. Tjonnie was bezig alle dozen en tassen met levensmiddelen in de berm te zetten.

Zou hij een smokkelaar zijn? dacht Peter. Kwamen er straks uit het niets andere smokkelaars aangereden, die zijn dozen en tassen in zouden laden en over een of andere grens brengen?

Zou er dikke winst te maken zijn met gesmokkelde kousenband, kokosnoten en flessen Fernandes? Of zaten er onder en in die onschuldige etenswaren waardevolle voorwerpen of verdovende middelen verstopt?

Toen Tjonnie klaar was met het leeghalen van de auto kwam hij naar Peter toe en bleef dreigend voor hem staan. 'Geef me je telefoon,' zei hij.

'Waar is mijn vriend Moerad?' vroeg Peter.

Opeens grijnsde Tjonnie, en zijn rare gezicht met de ene voortand in het midden vertrok in duizend rimpels. 'Denk je dat ik jou dat ga vertellen? Ik pak je mobiel af en daarna laat ik je hier achter.'

'Goed plan,' zei Peter rustig. Met enige moeite wreef hij zijn vastgebonden arm langs zijn broek zodat zijn mouw omhoog schoof, en keek op zijn horloge. 'Precies over vijf minuten gaan mijn vrienden de politie bellen, en jouw naam doorgeven, en je kenteken, en dan gaat de hele politiemacht van Nederland naar jou op zoek.'

Tjonnie vertrok geen spier. Hij grijnsde nog steeds.

'En van België,' zei Peter. 'En van Duitsland. Want je hebt niet alleen mijn vriend Moerad ontvoerd maar ook prins Ari Zadeh, de neef van de sultan van Firdaus. En dat neemt de politie niet licht op.'

Tjonnie keek alsof hij van de prins geen kwaad wist, en dat was natuurlijk ook zo. 'Met de verdwijning van die Ari heb ik niets te maken,' zei hij.

Nu grijnsde Peter ook. 'Dat weet jij,' zei hij spottend, 'en dat weet ik misschien, en dat weten mijn vrienden, maar dat weet de politie niet.'

'Bel nu je vrienden dat alles in orde is,' zei Tjonnie.

'Anders loopt het slecht met je af.'

'Ik kan ze wel bellen,' zei Peter lijzig, 'maar we hebben een geheime code afgesproken, mijn vrienden en ik. En jij zult nooit weten of ik die gebruikt heb of niet. En als ze die code niet horen gaan mijn vrienden toch naar de politie.'

'Wat wil je van me?' vroeg Tjonnie, met een ongeruste blik op Peters horloge.

'Ik wil dat je me vertelt waar Moerad is,' zei Peter. 'Je zei tegen je maten dat je hem op ging halen in je bedrijfje, maar dat heb je niet gedaan. Dit is niet de Bos en Lommerweg. Dacht ik.'

Tjonnie keek hoofdschuddend naar de berg dozen en tassen aan de kant van de weg. 'Alles was in het honderd gelopen, maar die mannen moesten en zouden doorgaan. Er is een kerel uit Firdaus bij, en iemand van hier, die ik uit de bajes ken. Ze hebben mij gevraagd om te helpen. Maar ik wilde niet meer meedoen.'

'Dus daarom ben je niet naar je bedrijf gereden,' zei Peter, 'maar ben je ervandoor gegaan. Waarnaartoe eigenlijk?'

'Dat ga ik jou niet aan je neus hangen,' zei Tjonnie.

'Laat me raden,' zei Peter. 'Schiphol vond je te link. Bovendien zijn de vluchten naar Suriname daar duur.'

'Hoe weet jij dat?' gromde Tjonnie.

'Over de wereld reizen is mijn hobby,' zei Peter met meer zelfverzekerdheid dan hij voelde. 'Dus jij bent op weg naar Brussel of Parijs. Vandaar kun je naar Frans Guyana vliegen. En dat ligt naast Suriname. Jij gaat ervandoor en je laat Moerad achter in de handen van die twee misdadigers. Want die weten waar je bedrijf is.'

Tjonnie keek een beetje triomfantelijk naar Peter. 'Ja, die weten waar mijn bedrijf is,' zei hij. 'Maar ze weten niet waar Moerad is. Want die is ergens anders.'

Peter haalde opgelucht adem. Toen keek hij naar de dozen en kisten. 'Je was van plan je auto op het vliegveld achter te laten en daarom haal je er hier de voorraden uit zodat ze niet gaan rotten en stinken en de politie de auto te vroeg ontdekt.'

Tjonnie maakte Peters armen los, maar hij bleef vlak voor hem staan. 'Bel je vrienden nu,' zei hij. 'Als je een geintje uithaalt met die code van je, en de politie op me afstuurt, dan zie jij je vriendje Moerad niet meer terug. Ik heb niks meer te verliezen. Jij wel.'

Peter belde. Het mobieltje van Josie stond uit. Dat betekende dat ze ergens was waar ze niet gestoord kon worden. Zou ze nog bij het cateringbedrijf zijn? Peter stuurde een berichtje dat alles met hem voorlopig in orde was en dat Moerad niet in Tjonnies winkel zat. Maar daar was ze inmiddels vast wel achter.

Tjonnie stak zijn hand uit. 'Hier met dat ding.'

Peter hield zijn mobiel stevig vast. 'Als ik niet regelmatig bel gaan ze alsnog naar de politie,' blufte hij. Op die manier zou Tjonnie wel uitkijken om hem kwaad te doen, hoopte hij.

'Oké,' zei Tjonnie zuchtend. 'Ik heb jou in de tang, en jij mij. Wat nu?'

'Jij vertelt me waar Moerad is, en dan bel ik dat door,' zei Peter.

'Ik kijk wel uit,' zei Tjonnie. 'Denk je dat ik gek ben

of zo? Als jullie weten waar Moerad is sturen jullie de politie op me af.'

'Klopt,' zei Peter.

'We praten onderweg verder,' zei Tjonnie. 'Ik heb geen tijd te verliezen. Ik breng je terug, iets anders zit er niet op. Als ik je hier laat, bel je de politie, ook als ik je mobiel afneem. Dan loop je naar het dichtstbijzijnde huis.'

'Dat zou goed kunnen,' zei Peter.

Tjonnie begon het touw los te knopen. 'Als je ervandoor gaat,' waarschuwde hij, 'komt niemand ooit te weten waar Moerad is gebleven.'

Ze stapten in. Peters maag knorde. 'Heb je iets te eten bij je?' vroeg hij.

Tjonnie stapte uit en liep naar de berm. Even later kwam hij terug met een pak biscuits en een paar bananen, die Peter over het hoofd gezien had.

Toen reden ze eindelijk terug naar huis.

Tenminste, Peter hoopte van harte dat het waar was.

Josie en Yoe Lan bleven doodstil staan en staarden naar het fietsenschuurtje. De grote gestalte stond daar even roerloos als zij.

De man in het donker maakte een geluid met zijn keel. Het leek op een soort vogelgepiep. Toen schraapte hij zijn keel.

'Josie?' zei een zachte stem. 'Yoe Lan?'

'Peter!' zei Josie blij.

'Moerad!' fluisterde Yoe Lan.

Maar de lange jongen die uit de schaduw naar voren kwam was Otto.

Josie wist niet of ze blij moest zijn dat er hulp kwam, of boos omdat ze zo was geschrokken. 'Jij,' zei ze alleen maar.

'Wat doen jullie hier?' vroeg Otto.

'Die is goed,' zei Josie. 'Wat doe jíj hier?'

'Ik moest aldoor aan Moerad denken,' zei Otto zacht. 'En toen...'

'Vertel straks maar verder,' zei Josie, 'we moeten opschieten. Ga je mee?'

Ze pakten hun fietsen en reden naar de boerderij waar Woelfs hok stond. Josie en Otto wachtten aan het begin van de oprijlaan, terwijl Yoe Lan Woelf ophaalde.

'Wat kwam je nou doen?' vroeg Josie aan Otto.

‘Moerad is mijn vriend,’ zei Otto. ‘De meeste jongens mogen niet op het kamp komen van hun ouders. Als ze al willen. Er gebeurt ook heus wel eens wat bij ons, ik heb een paar ooms die zijn echt niet te vertrouwen... maar Moerad komt altijd bij me, en hij trekt er zich niks van aan als iemand een grote mond heeft, of bezopen is of zo.’

‘Moerad is oké,’ zei Josie alleen maar.

‘Ik hoopte dat jullie nog op waren,’ zei Otto. ‘Ik ben weggeslopen en ik kwam horen of er nieuws was. Maar bij jullie huis was het zo stil. Ik was net van plan je te gaan bellen.’

‘Goed dat je ’t zegt,’ zei Josie. Ze zette haar mobiel weer aan. Er was een bericht van Peter, dat alles oké was maar dat Moerad niet op de Bos en Lommerweg was. Dat wisten we al, dacht Josie, dankjewel, Peter, maar waar ben jij nu?

‘We gaan naar de Sartreweg,’ zei ze tegen Otto. ‘Kokkie denkt dat Moerad daar misschien is.’

Toen Yoe Lan terugkwam met Woelf gingen ze vlug op weg. Alle huizen aan de Sartreweg waren gesloopt. De enige bebouwing die nog overeind stond was die op het bedrijventerrein. Ze verstopten hun fietsen achter een loods.

De lantaarns floepten aan terwijl ze omzichtig van de loods naar het volgende gebouw liepen. De maan was bijna vol en de hemel was nu bijna donker. Josie had graag naar de sterren gekeken, maar nu had ze wel iets beters te doen.

Yoe Lan haalde de sok van Moerad uit haar jaszak en liet Woelf eraan ruiken. Woelf snoof een paar keer en keek toen ernstig naar Yoe Lan. Hebben we niet al eens eerder naar de eigenaar van deze sok gezocht? bedoelde hij.

'Ja,' zei Yoe Lan. 'Maar we hebben hem nog niet gevonden.'

'Yoe Lan denkt dat Woelf een speurneus is,' zei Josie schamper tegen Otto.

Yoe Lan liep met Woelf een steegje tussen twee gebouwen in. Ze trok zich niets van Josie aan. Tenminste, bijna niets. Als Moerad hier ergens verborgen zat, zou Woelf hem vinden, dat wist ze zeker.

Woelf snuffelde overal, hij liep kwispelend heen en weer en op en neer, en was dolblij dat hij weer bij zijn baasje was. Zo af en toe bracht hij Yoe Lan een verdwaald stukje papier, een takje, een leeg sigarettenpakje, of een plastic flesje.

'Dankjewel, Woelf,' zei Yoe Lan dan. 'Zoek Moerad, Woelf, zoek Moerad.'

Achter zich hoorde ze Josie en Otto grinniken. Ik ben blij dat ze nog een beetje plezier hebben, dacht Yoe Lan. Laat ze ons maar uitlachen. Wie het laatst lacht lacht het best.

Maar er viel helemaal niets te lachen. Ze liepen tijden rond op het terrein, en zochten in alle hoeken en gaten. Er was geen spoor van Moerad.

'We moeten wachten tot het licht is,' zei Josie tenslotte. 'Laten we naar huis gaan.' Ze aaide Woelf over zijn kop. 'Je hebt je best gedaan,' zei ze.

Yoe Lan keek naar de grond. 'Als Woelf Moerad niet heeft gevonden, dan is Moerad niet hier,' zei ze.

'Als jij het zegt,' zei Josie. 'In elk geval gaan we morgenochtend meteen naar de politie. We vertellen alles, ook over Tjonnie, en over de Sartreweg, en dan moeten ze het hele terrein maar uitkammen. Met echte speurhonden.'

Ze waren op weg naar de oprit toen Woelf opeens begon te grommen.

'Ssst!' zei Otto. 'Ik hoor iets.'

Yoe Lan deed Woelf aan de riem.

Ze bleven stokstijf staan. Ze stonden achter de loods waar ze hun fietsen hadden neergezet, en ze konden de oprit van het bedrijventerrein niet zien, maar het geluid werd steeds sterker en duidelijker. Er was geen misverstand mogelijk. Er kwam een auto het terrein op rijden.

Tjonnie en Peter reden door de schemerdonkere nacht. Peter voelde zich iets beter, nu hij zijn blaas geleegd had en zijn maag gevuld. Hij vertrouwde erop dat Tjonnie eieren voor zijn geld had gekozen en hem terug zou brengen naar huis.

'Waar heb je Moerad verborgen?' vroeg hij na een tijdje ongeduldig. 'Je had beloofd dat je me dat onderweg zou vertellen.'

'Ik zal je ergens afzetten,' zei Tjonnie onverstoorbaar, 'in de buurt van waar je zijn moet. En als ik dan een flink eind weg ben bel ik je op om te zeggen waar je precies naar je vriendje moet zoeken. Ik heb nog een nummerbord in mijn auto liggen, dus denk maar niet dat de politie me een-twee-drie vindt. Ik kom heus wel waar ik wezen moet.'

'Als we je aangeven,' zei Peter, 'dan kun je nooit meer terugkomen in Nederland.'

'Ik hoef hier nooit meer terug te komen,' zei Tjonnie. 'Ik ben alleen naar dit vreselijke land gekomen om veel geld te verdienen, en zelfs dat is mislukt.'

Peter gaf het op. Het kon hem ook niet schelen wat Tjonnie deed, als hij Moerad maar terugvond. Hij was te moe om zich ergens anders druk om te maken. Langzaam maar zeker sukkelde hij in slaap.

Hij werd wakker omdat de auto plotseling ergens

voor moest remmen. Hij keek op de borden. Over een uurtje konden ze in Amsterdam zijn.

Tjonnie zong weer een van zijn droevige liedjes. Mama mi lobi yoe, verstond Peter. Moeder ik hou van je. Hij nam een slokje Fernandes om de nare smaak uit zijn mond te verdrijven.

'Moest jij niet af en toe iets laten horen aan die vrienden van je?' vroeg Tjonnie argwanend.

Peter keek op zijn horloge. 'Nog niet.'

'Mijn moeder is erg ziek,' zei Tjonnie toen.

Peter keek opzij. De koppige en sluwe uitdrukking was van Tjonnies gezicht verdwenen. Hij zag er moe en verdrietig uit, en zijn handen lagen slap om het stuur, alsof zelfs zijn spieren de hopeloosheid van alles inzagen.

'Mijn moeder is haar hele leven onderwijzeres geweest,' zei Tjonnie. 'In Nickerie. Ze was de beste moeder van de wereld, en ook de beste onderwijzeres, maar erg streng. Ik heb heel wat pakken slaag gekregen, ook al was ik een brave jongen.'

Hij neuriede een tijdje droevig voor zich uit. 'Toen mijn moeder met pensioen ging,' vertelde hij verder, 'kreeg ze honderd euro per maand om van te leven. Omgerekend. Ze heeft nooit kunnen sparen, zo laag was het loon. En het leven is duur geworden in Suriname. Onze familie woont in het binnenland, die hebben helemaal geen geld.'

Peter zag dat ze Utrecht voorbij waren. Zijn hart begon sneller te kloppen. Als Tjonnie hem nu maar niet voor de gek hield. Peter durfde er bijna niet op te rekenen dat hij Moerad heelhuids terug zou vinden.

'Mijn moeder is niet voor één gat te vangen,' zei Tjonnie trots. 'Ze is heel handig. Ik stuurde haar van die plastic poppetjes, en zij naaide daar dan klederdracht voor. Die poppen verkocht ze aan toeristen.' Hij keek opzij naar Peter. 'En jouw moeder?' vroeg hij. 'Wat doet die?'

'Ze is veel op reis voor haar werk,' zei Peter. 'Ze doet ook iets met kleren.' Of eigenlijk meer zonder kleren, dacht hij erachteraan.

'Je eigen moeder, daar kun je niet buiten,' zei Tjonnie. 'Maar mijn moedertje werd ziek. Ze kreeg iets in haar botten. Ik wilde haar hier laten opereren, maar ze mocht het land niet in.'

'Dus daarom wilde je in één klap een heleboel geld verdienen,' zei Peter.

'Ze kon niet meer naar de markt lopen,' zei Tjonnie. 'Ze probeerde haar poppen aan huis te verkopen, maar haar huisje ligt niet in de binnenstad. Er komen daar geen toeristen langs. Ze heeft ook veel pijn, maar het ergste is dat ze nu van liefdadigheid moet leven. Dezelfde leerlingen aan wie zij vroeger heeft geleerd om hard te werken en nooit je hand op te houden, die brengen haar nu te eten.'

Tjonnies stem klonk niet langer verdrietig, maar grimmig. Peter zag dat de man een bittere, harde trek om zijn mond had. Hij wist dat Tjonnie er niet voor zou terugdeinzen een echte misdaad te begaan, als het in het belang van zijn moeder was.

'Alles wat ik nu nog voor haar doen kan,' zei Tjonnie verbeten, 'is teruggaan naar Suriname, haar poppetjes voor haar naar de markt brengen en ze verkopen. En wachten tot ze aan haar ziekte overlijdt.'

Het werd heel stil in de auto. Er viel ook niet veel meer te zeggen. Peter vroeg zich af of hij net zoals Tjonnie zou handelen, als het om het leven van zijn moeder ging. Hij wist het niet.

'Ik weet niet waarom ik je dit vertel,' zei Tjonnie, 'misschien omdat ik zo streng ben opgevoed. Ik wist niet dat het om kidnappen ging. Ik moest een pakje afhalen bij de molen en het voor een tijdje opslaan in mijn bedrijf.'

'En dat pakje spartelde zo dat je een knoop verloor,' zei Peter schamper.

'Donderdag werd ik gebeld door mijn maat uit de bajes. Laat ik hem Charlie noemen. Hij wilde ergens met me afspreken. De politie kan mobiele telefoons afluisteren. Ik moest een pakje voor hem ophalen en verbergen. Charlie weet dat ik een cateringbedrijf heb. Ik weigerde, want ik heb nog een voorwaardelijke straf. Ik kan geen risico's nemen. Maar Charlie kan me verlinken. De politie heeft niet al het goud dat ik gesmokkeld heb, teruggevonden. En als ze daarachter komen, dan hang ik. Daar chanteerde hij me mee.'

'Wat zielig,' zei Peter. 'En met dat goud reis je nu lekker terug naar Suriname.'

'Vrijdag werd ik gebeld dat het zover was. De code was "een doos kousenband". Ik kreeg te horen dat ik naar de molen moest rijden. Ik had geen keus. Daar bij de molen kun je niet verder met de auto, en Charlie kwam aanlopen met nog een vent, een buitenlander, en ze droegen een jongen. Hij was helemaal slap, ze hadden hem verdoofd. Toen wist ik pas dat het om kidnappen ging. Ik zei: "Daar begin ik niet aan." Ik stapte in om weg te rijden.'

'Ik geloof er niks van,' zei Peter. 'Je was zeker van plan de politie te waarschuwen om mijn vriend te redden. Maar niet heus.'

'Charlie begon me over te halen, maar die maat van hem trok gewoon een pistool.'

'Ach, je werd gedwongen,' zei Peter. 'Dat is een ouwe truc hoor. Zeker te veel tv gekeken.' Hij wilde niets meer horen. De goudsmokkelaar met een hart van goud, die zijn zieke moeder wilde helpen, dat had hij nog geslikt. Of was dat ook een verhaaltje? 'Dat van je moeder is zeker net zo'n verzinsel,' zei hij bitter. Hij bleef maar steeds het beeld voor zich zien van een verdoofde Moerad die in de auto gegooid werd.

'Vraag Kokkie maar naar mijn moeder,' zei Tjonnie. 'Die man, Aras noemde hij zich, die richtte het pistool op de jongen, niet op mij. Dat ik een goed hart heb hoef je niet te geloven, maar ik ben niet zo stom dat ik me levenslang laat opsluiten voor medeplichtigheid aan moord.'

'Ik vind je er stom genoeg voor,' zei Peter kwaad.

'Ze vertelden me dat het een prins was, familie van de sultan van Firdaus. Ze hadden dinsdag geprobeerd hem te ontvoeren uit het internaat. Er was nog een derde man bij betrokken. Die had de vluchtauto geregeld en een adres om hem vast te houden. Maar de ontvoering was mislukt, en de derde man was afgehaakt, met vluchtauto en adres en al. Toen hebben ze de jongen in de gaten gehouden, en vrijdagmiddag zijn ze hem gevolgd. Daarom moesten ze een andere plek hebben om hem te verbergen.

Ik wilde daar weg, maar de jongen begon te bewegen. Ik moest hem helpen vasthouden terwijl die man, Aras, hem een injectie gaf. Anders hadden ze hem vermoord.

Toen kwam er iemand aanrijden, heel in de verte. Een man op een fiets. Charlie en zijn makker legden de jongen in mijn auto en gingen ervandoor. Ze hadden hun eigen auto verderop geparkeerd. Ik had weinig keus. Ik ben weggereden met de jongen achterin.'

'Waarom heb je hem toen niet meteen vrijgelaten?' vroeg Peter.

'Hij was buiten kennis. Waar had ik hem moeten laten? Ik was ook bang voor Charlie en zijn maat. Maar ik wilde de jongen niet in gevaar brengen, dus ik bracht hem naar een plek die Charlie niet kende. Ik maakte hem los, gaf hem eten en drinken en ging weg om een plan te bedenken. Dat was moeilijk.'

'Ja,' zei Peter, 'denken, dat moet je kunnen.' Hij dacht weer aan Moerad, die ergens opgesloten zat. Wat zou hij bang en eenzaam zijn. Peter had zin om Tjonnie in elkaar te slaan, maar hij had hem hard nodig.

'Toen kwam ik erachter dat de verkeerde jongen was ontvoerd. Ik was blij! Ik ben meteen naar Charlie toe gereden om hem te vertellen dat ze zich vergist hadden. Ik dacht dat ze de jongen vrij zouden laten, maar dat wilden ze niet.'

Dit gedeelte van het verhaal klopte in elk geval, dacht Peter. Zou de rest ook waar zijn? 'Waarom heb je Moerad toen niet laten gaan?' vroeg hij.

'Dat was ik van plan. Ik wilde het land uit gaan en dan iemand bellen die de plek kent. De politie zou dan niets over mij weten, en Charlie zou me niet meer kunnen vinden. Ik denk niet dat hij me op zou durven zoeken in Suriname. Hij kent het land niet, en hij weet dat ik daar vrienden heb.'

'En toen kwamen mijn vrienden en ik, en gooiden roet in het eten,' zei Peter.

'Roet? Nee, ik doe gewoon mijn ding. Het duurt allemaal alleen iets langer.'

'Je kunt een mooi verhaal vertellen,' zei Peter. 'Een *tori* noemen jullie dat toch? Die lazen ze op school voor. Over de spin Anansi. Maar je liegt dat je barst. Jíj hebt Charlie verteld dat er een prins op het internaat zat, dat kan niet anders.'

'Ik?' vroeg Tjonnie. 'Hoe had ik dat moeten weten?'

'Dus toevallig ontvoeren zij een prins van het internaat en toevallig ben jij daar de leverancier,' zei Peter. 'Jij zit daar als een spin in het web. Alle draden komen bij jou uit. En dat is zeker allemaal toeval. Maak dat de kat wijs, man.'

Ze reden de ringweg op en namen de afslag Nieuw West. Peter kende de wijk niet goed genoeg om te zien waar Tjonnie heen reed.

'Nee, het is niet allemaal toeval,' zei Tjonnie na een tijdje. 'We deelden een cel, Charlie en ik. Je weet niet hoe langzaam de tijd gaat, daar. We praatten maar. Ik vertelde dat ik één echte vriendin hier had, jullie Kokkie. Op het internaat. Ik mocht Charlie wel. Maar toen ik hem terugzag mocht ik hem niet meer. Hollanders kun je niet vertrouwen. Ik kan niet door ze heen kijken, zoals door landgenoten.'

'Nee,' zei Peter. 'Dat geloof ik wel.'

'Later is Charlie die vent van Firdaus tegengekomen,' zei Tjonnie. 'Die was op het idee gekomen prins Ari te ontvoeren uit het internaat. Hij zei dat het een makkie was, dat de sjeik nooit moeilijk deed over geld. En toen alles misging dacht Charlie aan mij. Misschien kwam dat door mijn verhaal over Kokkie en het internaat. Meer weet ik niet.'

Ze stopten bij een bedrijventerrein. 'Hier is het,' zei Tjonnie.

'Maar hier is het veel te groot!' zei Peter. 'Hoe kan ik hem in al die gebouwen ooit vinden? En het is ook nog donker!'

'Precies,' zei Tjonnie tevreden. 'Geef me je nummer. Ik bel je op als ik ver genoeg weg ben.'

'Hoe weet ik dat je dat doet?' vroeg Peter. Hij schreef zijn telefoonnummer toch maar op.

'Dat weet je niet,' zei Tjonnie. 'Het kan me niet schelen wat er met je gebeurt, met jou of met die vriend van jullie. Niemand hier kan het iets schelen of mijn moeder doodgaat omdat ze geen geld heeft voor een operatie. Ze mag niet eens jullie land in om bij haar enige zoon te sterven.'

Hij stapte uit en maakte het portier voor Peter open. 'Maak nu dat je wegkomt,' zei hij, 'want ik ga ervandoor. Ik had je het liefst onderweg afgezet en je het adres gegeven, maar dan had je meteen de politie achter me aan gestuurd. Dat zul je nu ook wel doen.'

'Maar...' protesteerde Peter.

‘Wacht. Over telefoons gesproken.’ Tjonnie haalde een mobieltje uit zijn jaszak. ‘Van je vriendje. En zijn zakmes.’

Peter pakte de telefoon en het mes aan. Daar zou Moerad wel blij mee zijn.

‘Als ik je bel en je bent in gesprek, dan laat ik niets meer van me horen,’ zei Tjonnie. Zijn stem had een dreigende ondertoon. ‘En reken maar dat ik dat ga controleren. Alleen als iedereen me met rust laat zal ik je bellen. En wel hierom,’ zei hij toen met een bitter lachje, ‘omdat die jongen die ik opgesloten heb ergens in de wereld ook een moedertje heeft.’

Peter knikte opgelucht en stapte uit de bestelauto. Hij ging Tjonnie niet aan zijn neus hangen dat uitgerekend Moerad, de jongen die hij ontvoerd had, geen moedertje meer had.

Josie, Yoe Lan en Otto stonden muisstil achter de loods te luisteren. Ze hoorden heel duidelijk het geluid van portieren die open- en dichtgingen, en mannenstemmen.

Woelf stond ook doodstil. Zijn haren stonden rechtovereind. Alleen zijn oren bewogen.

'Het zijn die twee kerels,' fluisterde Josie. 'Dat kan niet anders.'

'Ze komen vast Moerad halen,' piepte Yoe Lan. 'We hadden beter moeten zoeken.'

Ze hoorden weer een portier slaan. De auto startte en reed weg.

Otto begon die kant op te lopen.

'Hier blijven!' siste Josie. 'Misschien is er iemand uitgestapt!'

Maar Yoe Lan en Woelf liepen rustig en duidelijk zichtbaar achter Otto aan.

'Hé!' fluisterde Josie verontwaardigd. Maar toen zag ze dat Woelfs hele achterlijf schudde van het harde kwispelen.

Ze hebben Moerad gebracht! dacht Josie. Ze hebben hem vrijgelaten. Woelf ruikt hem. Ze rende achter de anderen aan. Die liepen om de loods heen en gluurden om het hoekje.

Bij het vage licht van een lantaarn zagen ze een gestalte die onzeker een paar stappen zette en dan weer bleef stilstaan.

Woelf rukte zich los en rende zijn poten uit zijn lijf. Hij sprong luid blaffend tegen de figuur op en gooide hem bijna om.

'Hé,' hoorden ze een bekende stem zeggen. 'Wat doen júllie nou hier?'

Het was Moerad niet.

Het was Peter.

Ze renden allemaal naar hem toe en begonnen door elkaar te praten. Ze vergaten om zachtjes te doen en voorzichtig te zijn. Ze vergaten alles om zich heen en luisterden alleen nog maar met open mond naar elkaars verhalen.

Peter vertelde zo kort mogelijk over Tjonnie. Josie bracht Peter op de hoogte van hun belevenissen.

Alleen Yoe Lan zei niets. Ze was blij dat Peter bij hen terug was, maar nu maakte ze zich nog meer zorgen om Moerad. Volgens Peter moest hij hier ergens zijn. Waarom had Woelf dan niets gevonden?

Peter, Josie en Otto gingen op een stoeprand zitten. Maar Yoe Lan wilde niet zitten. Ze wilde ook niet wachten tot Tjonnie naar Peter zou bellen om te zeggen waar Moerad was, als hij dat al zou doen. Moerad zat op dit ogenblik ergens opgesloten, alleen en bang, en Yoe Lan was niet van plan vrolijk te zijn en te lachen voordat hij veilig bij hen terug was.

'Kom, Woelf,' zei ze. Ze maakte de riem los. Ze liet hem nog een keer aan de sok ruiken. 'Zoek, Woelf,' fluisterde ze. Ze liepen de hoek om, tussen de gebouwen door. Woelf snuffelde overal, maar het enige wat hij vond was een vuilwit touwtje, dat hij kwispelend naar zijn baasje bracht. Toen ze het op de grond gooide pakte hij het weer op en droeg het in zijn bek met zich mee.

Na een tijdje ging Yoe Lan terug naar de anderen. 'We hebben niks gevonden,' zei ze. 'Alleen dit touwtje. Woelf wilde het niet laten liggen. Het is een soort veter, maar Moerad had zijn zwarte sportschoenen aan. Die met de gouden strepen. Dat weet ik zeker.' Ze pakte het ding van Woelf af en gooide het in een vuilnisbak die een eindje verder stond.

Woelf liep achter haar aan, en toen Yoe Lan terugliep naar de anderen bleef hij bij de vuilnisbak staan en probeerde met zijn poten zijn speeltje terug te pakken. Toen dat niet lukte begon hij te janken.

'In hemelsnaam, Woelf!' riep Josie geërgerd. 'Ik zal wel met je spelen. Wil je dat ik het voor je weggooi en dat je het ophaalt?' Ze haalde het stukje veter uit de prullenbak. 'Het is gebroken,' zei ze. 'Dit is nog maar de helft.' Ze keek naar het eindje draad in haar hand. 'Het is niet eens een veter,' zei ze. 'Het is alleen maar een stukje opgerold papier.'

Ze begon het papier los te draaien. Er viel nog een stukje af. 'Bah, het is wc-papier,' zei ze opeens. Ze gooide het van zich af.

Woelf pakte het half afgerolde papier op en bracht het kwispelend naar Yoe Lan. 'Ga weg viezerik,' zei ze. Maar Woelf gaf het niet op. Jankend liep hij naar Peter toe. Peter pakte het papier uit Woelfs bek. 'Er staat iets op, geloof ik,' zei hij. Hij bekeek het papier van dichterbij.

‘Is erop geschreven?’ vroeg Josie opgewonden. ‘Is het een boodschap?’

Maar Peter schudde zijn hoofd. ‘Nee,’ zei hij. ‘Iemand heeft maar wat zitten krassen of zo. En Woelf heeft de inkt natgemaakt.’ Hij liet het stuk papier vallen.

Woelf zette door. Deze keer probeerde hij het bij Otto. ‘Goed hoor ouwe jongen,’ zei Otto. ‘Ik zal het even stevig voor je in elkaar draaien.’ Hij pakte het papiertje van Woelf aan. ‘O,’ zei hij met een vreemde stem. ‘O.’

‘Wat?’ vroeg Josie.

‘Gotenks,’ zei Otto. ‘Guz&Mez.’

De andere drie keken bezorgd naar hem. Waar had Otto het over? Ze kwamen om hem heen staan. Ze keken naar het vieze papiertje. Het was helemaal vol getekend met DragonballZ.

Yoe Lan wees de weg. De plek, waar het opgerolde wc-papier had gelegen, was een rommelig stukje grond, met hier en daar wat gras, kapotte stenen, stukken glas en sigarettenpeuken.

Het lag tussen twee grote kantoorgebouwen in. Het ene gebouw had ramen, die door kwajongens kapot waren gegooid, en het andere had een blinde muur.

Woelf liep kwispelend rond en bracht de ene na de andere 'veter' bij zijn baasje. Het waren allemaal in elkaar gedraaide stukjes wc-papier met striptekeningen erop. Omdat Yoe Lan ze meteen aanpakte waren de rolletjes papier nog niet doorweekt, en waren de DragonballZ duidelijk herkenbaar.

'Woelf, je hebt de eerste keer maar wat lopen suffen,' zei Josie.

'Nietwaar,' zei Yoe Lan. 'Zonet lagen die papiertjes er nog niet.'

'Dan heeft Moerad ze pas geleden weggegooid!' zei Josie. Ze begon zijn naam te roepen. De andere drie schreeuwden mee. Na een tijdje zwegen ze en luisterden, maar er kwam geen antwoord.

Ze liepen nog maar eens om het ene gebouw heen, dat met de kapotte ramen. JANUS IN VERVEN stond er met ouderwetse letters bij de voordeur. Het was een metalen deur. Hij was goed op slot.

Daarna liepen ze om het andere gebouw heen. Daar was een zware houten deur met een matglazen raampje erin met tralies ervoor. Ze gluurden door het raampje maar alles was donker.

'Laten we kijken of er nog meer ligt,' zei Otto. 'We kunnen toch alleen maar wachten.' Ze liepen terug naar het veldje.

'Ik haat wachten!' zei Josie. Ze sloeg haar ogen ten hemel. Dat wil zeggen, ze sloeg ze op, en keek naar de hoge blinde muur, waar nu een heel zwak lichtje te zien was.

'Hé!' riep ze. 'Dat lichtje, was dat er al?'

Er was inderdaad een heel klein lichtpuntje. Het was te klein voor een raampje, maar te groot voor een vuurvliegje of zoiets. Het moest wel een lampje zijn.

'Moerad!' schreeuwden ze alle vier tegelijk uit volle borst.

Ze renden de hoek om. Peter haalde een zakmes tevoorschijn.

'Dat is van Moerad!' zei Yoe Lan verbaasd. 'Hoe kom jij daaraan?'

'Van Tjonnie gekregen,' zei Peter. Hij begon de tralies van het deurraampje los te schroeven. Toen rolde hij zijn jas om zijn hand en sloeg het matglazen ruitje in. Zorgvuldig haalde hij alle losse stukken glas van de rand weg.

'Yoe Lan,' zei hij, 'slangenmeisje, ga je gang.' Hij tilde haar op.

Yoe Lan begon zich door het nauwe gat te wurmen. Halverwege bleef ze steken. 'Duwen!' hoorden ze haar benauwde stem roepen.

Woelf jankte. Hij was er beslist op tegen dat zijn bazin zich gedroeg als een konijn dat in een te klein hol wegkruipt.

De benen van Yoe Lan verdwenen. Er klonk een plof. Even later verscheen haar hoofd voor het raampje. Er zat stof en spinrag in haar haar, maar ze lachte trots. 'Ik schuif de grendel weg,' zei ze.

Er ging een licht aan binnen. Ze hoorden een heleboel gepiep en gekreun. Toen kwam het hoofd van Yoe Lan weer tevoorschijn. 'Het lukt niet,' zei ze. 'Hij is te zwaar.'

'Josie, bel jij de politie maar,' zei Peter boos. 'Yoe Lan, kom meteen terug naar buiten!'

'Wij hebben Kokkie tot morgenochtend de tijd gegeven om met Tjonnie te praten,' zei Josie.

'Ik héb met Tjonnie gepraat,' zei Peter. 'Meer dan me lief is. En Kokkie heeft zich in haar aanbidder vergist.'

'Laten we nog even wachten,' zei Josie, 'tot Tjonnie belt om te zeggen waar Moerad precies zit.'

'Maar als Tjonnies handlangers, die Charlie en zijn maat, daarbinnen zijn,' zei Otto, 'wat moeten we dan beginnen?'

'Volgens Tjonnie kennen ze deze plek niet,' zei Peter. 'Maar ik weet natuurlijk niet of dat waar is.'

'Yoe Lan! Kom terug,' riep Josie.

Maar Yoe Lan gaf geen antwoord.

Ze hoorden vlugge voeten de trap op rennen.

Gelukkig doet het licht het nog, dacht Yoe Lan. Haar hart ging tekeer van angst, maar ze trok zich er niks van aan en rende de trap op. Moerad, dacht ze. Moerad, waar ben je?

Ze probeerde de toegangsdeuren van alle etages. Alleen op de bovenste verdieping ging de deur open.

Ze gluurde door de deuropening. Ze zag een lange gang met deuren aan weerskanten. Aarzelend ging ze naar binnen. Ze opende alle deuren en deed overal het licht aan. In één ruimte zat een aanrecht met kastjes eronder. Daar keek ze in. De andere kamers waren leeg en kaal, zonder een enkel plekje waar Moerad verstopt zou kunnen zitten.

Een paar keer riep ze Moerads naam, maar er kwam geen antwoord. Yoe Lan zuchtte van teleurstelling. Ze wou dat Woelf ook door het luikje had kunnen kruipen. Woelfs neus was een paar duizend keer beter dan de hare.

Ze ging terug naar de eerste kamer en keek omhoog om te zien of er misschien een luik in het plafond zat dat naar de zolder leidde. Dit was tenslotte de bovenste verdieping van het gebouw. Nee, een luik was er niet, maar ze zag wel iets anders op het plafond, iets vreemds.

Kabouters.

Geen echte natuurlijk, maar vrolijk gekleurde tekeningen van paddenstoelen met kabouters erop. Moerad tekende graag, maar hiervoor was hij toch te oud. Bovendien, waarom zou hij op het plafond willen tekenen?

Waarom zou *iemand* op een plafond tekenen? Yoe Lan keek naar de plafondschildering tot ze pijn in haar nek kreeg. Ze liep naar de andere kamers. Overal waren zulke tekeningen op het plafond, behalve in de ruimte waar het aanrecht stond. En er ontbrak nog iets anders daar, al wist Yoe Lan niet meteen wát.

Ze liep terug naar een van de andere kamers, en toen zag ze het. Precies onder de tekeningen zaten flinke gaten in de vloer. En toen begreep ze waar ze was. In deze bedrijfsruimte had een tandarts gezeten. De schroefgaten waren van de stoelen.

De tekeningen waren bedoeld om bange kinderen, die achterover in de behandelstoel lagen, te troosten en af te leiden. Yoe Lan wilde dat háár tandarts ook zulke tekeningen op het plafond had, want zij was ook altijd bang.

Ze deed de lichten weer uit en liep langzaam de trap af. Maar er was iets wat haar dwarszat. Ze bleef maar aan die tandarts denken. Er klopte iets niet. Ten eerste konden vast niet alle patiënten al die trappen op lopen, en een lift was er niet. Had ze toch een deur over het hoofd gezien?

Ze liep terug naar boven. Ze dacht aan haar eigen tandarts, die ze Marie mocht noemen. Marie was lief. Bij haar was Yoe Lan niet bang. Maar een keer was Marie ziek en toen moest een andere tandarts haar helpen. Dat was een grote man en hij maakte allemaal grapjes die Yoe Lan niet begreep. Eerst vroeg hij haar hoe lang een Chinees was, en dat wist ze niet. Daarna vergat hij te zeggen dat hij ging boren, wat Marie altijd van tevoren vertelde. Toen was ze zo geschrokken dat ze het bijna in haar broek...

Yoe Lan bleef stokstijf staan. Een wc! Die had ze ook niet gezien. Natuurlijk was er bij de tandarts een wc. Bij Marie was zelfs een badkamer met een douche, voor als een van de tandartsen avonddienst had en in de praktijk bleef slapen.

Yoe Lan rende de laatste paar treden op en begon nog een keer door de tandartspraktijk te lopen. Toen zag ze wat ze over het hoofd had gezien. In de gang hing een gebatikte doek met mooie vogels erop. Het was een grote blauwe lap, wel twee meter breed en net zo hoog, en de veren van de paradijsvogels waren goudgeel. Had ze die doek over het hoofd gezien? Nee, ze had hem wel gezien maar er verder geen aandacht aan geschonken.

Ze trok de lap stof opzij. Er zat een deur achter! Ze duwde de klink omlaag. De deur ging open. Ze zocht naar het lichtknopje. Het zat links. Ze stond in een halletje. Daar was de lift. En nog een deur. Ze rende eropaf. Ze wilde Moerads naam uitschreeuwen, maar bedacht zich nog net op tijd. Als Moerad in die kamer was, was hij misschien niet alleen. Misschien waren de kidnappers er ook!

Tjonnie had tegen Peter gezegd dat zijn handlangers deze plek niet kenden, maar Tjonnie vertrouwde ze niet zomaar. Moest ze teruggaan en op de politie wachten, nu ze al zo ver gekomen was?

Toen ze zag dat de sleutel aan de buitenkant in het slot stak wist ze genoeg. Het was een grote, ouderwetse sleutel, en het kostte haar moeite hem om te draaien. Maar het lukte.

Ze deed de deur open. Er botste iets tegen haar aan. Yoe Lan gilde.

Een soort groot monster vloog tegen haar op, net als Woelf altijd deed. Maar het monster likte haar niet in haar gezicht, zoals de hond altijd probeerde.

Yoe Lan voelde warme, sterke armen om zich heen. En ze hoorde een stem die vlak bij haar oor fluisterde.

'Yoe Lan, Yoe Lan, wat ben ik blij je te zien.'

De tranen begonnen uit haar ogen te stromen. Ze duwde het monster van zich af om goed naar zijn zwarte krulhaar te kijken, en zijn donkere ogen, en zijn lachende mond met de witte tanden.

'Moerad,' zei ze alleen maar.

Daar stonden ze dan buiten, voor de dichte deur. En Yoe Lan was nog steeds niet terug.

'Nog vijf minuten en ik bel de politie,' zei Peter. 'Ik moet er niet aan denken dat die kerels Yoe Lan in handen krijgen. Tjonnie kan de boom in, en Kokkie wat mij betreft ook.'

Ze keken alle drie ingespannen naar de zware deur, alsof ze hem met hun blikken konden openen.

Alleen Woelf was merkwaardig rustig. In plaats van verdrietig te janken of zenuwachtig te blaffen en tegen de deur op te springen waar zijn baasje doorheen was gekropen, zat hij gemoedelijk tegen iedereen te kwispelen.

Hij had er kennelijk het volste vertrouwen in. Yoe Lan, de Grote Aanvoerder, zou beladen met jachtbuit terugkomen bij haar roedel. En hij, Woelf, de op één na hoogste in rang, zou delen in haar roem, en natuurlijk ook in de gevangen prooi. De botten had hij in elk geval voor zichzelf gereserveerd.

Peters telefoon ging. In een mum had hij hem aan zijn oor. Hij liep al luisterend en pratend weg. Josie en Otto hoorden hem schreeuwen tegen Tjonnie.

'Er is hier boven in het gebouw een ruimte waar vroeger een tandartspaktijk zat,' zei hij toen hij terugkwam. 'Daar zit Moerad opgesloten. In de badkamer. Volgens Tjonnie loopt hij daar geen enkel gevaar, want de kidnappers kennen deze plek niet. Yoe Lan is binnen dan ook veilig.'

'Waarom schreeuwde je dan zo tegen hem?' vroeg Josie.

'Tjonnie had er niet aan gedacht dat wij hier niet naar binnen kunnen,' zei Peter. 'Hij is vergeten me de sleutel te geven. En toen ik boos werd hing hij op. Hij heeft nu nog meer haast om weg te komen, want ik móét de politie wel bellen.'

'Stil eens!' zei Otto.

Woelf was overeind gekomen en keek vol verwachting naar de deur. Ze hoorden voetstappen. Twee paar voetstappen. Iemand met sterkere spieren dan Yoe Lan schoof de grendel van de deur.

Ze hielden alle drie hun adem in.

Op de drempel stond Moerad. Hij hield Yoe Lan bij de hand alsof hij haar nooit meer los wilde laten.

Ze klopten elkaar allemaal op de rug en lachten en praatten door elkaar. Peter vertelde wat hij van Tjonnie te weten was gekomen, Josie lichtte Moerad in over hun avonturen, en Moerad luisterde alleen maar, tot hij aan de beurt was.

Ontvoerd worden was vooral saai, zei hij toen, en je had een heleboel tijd om na te denken.

'Daar ben je ook niet zo goed in,' zei Josie. 'Waarom heb je geen boodschap op dat papiertje geschreven? Bijvoorbeeld: help!'

'Daarom,' zei Moerad. Hij haalde zijn rollerpen tevoorschijn. 'Leeg.'

Ze moesten er allemaal om lachen.

Peter gaf Moerad zijn mes en mobieltje terug.

'Ja, nu heb ik die niet meer nodig!' zei Moerad. Maar hij stak ze met een blij gezicht terug in zijn vliegeniersbroek.

'Naar bed, naar bed!' zei Peter. 'Het avontuur is afgelopen.'

'Eerst nog wat eten,' zei Moerad.

'Waar moeten we dat vandaan halen?' vroeg Josie.

'Uit grootmoeders kastje,' zei Yoe Lan.

'Grootmoeders kastje?' vroeg Otto verbaasd.

'Jullie deden een rijmpje,' zei Yoe Lan vrolijk.

'Naar bed, naar bed, zei Duimelot.
Eerst nog wat eten, zei Likkepot.
Waar moeten we 't halen? zei lange Jaap.
In grootmoeders kastje, zei Ringeling.
Dat zal ik verklappen, zei 't kleine ding!'

Moerad gaf haar een stomp. 'Die Likkepot, dat ben ik zeker?'

Het kleine ding knikte.

Josie lachte niet mee met de anderen. 'We gaan nog niet naar huis,' zei ze.

'Nog lang niet, nog lang niet,' zong Yoe Lan.

'Ik bedoel niet dat versje.'

'Niet naar huis?' zei Moerad. 'Als jij zo lang opgesloten had gezeten met alleen maar oud brood en een stuk zweterige kaas...'

'In grootmoeders kastje!' zei Josie opgewonden.

'Nee hoor, in de badkamer van een tandarts,' zei Yoe Lan.

'Stil nou!' riep Josie. 'Ik was vergeten het te vertellen, maar die ene kerel zei "grandma" tegen die andere, voordat ze in de auto stapten. Ik begreep niet wat het betekende.'

'Dat betekent "grootmoeder",' zei Peter.

'Ja, hè hè, grootmoeder, dat weet ik ook wel. Maar toen dacht ik er niet aan...'

'Was dat bij Tjonnies catering?' vroeg Peter.

'Toen ze daar weggingen.'

'O, dus dat bedoel je,' zei Peter. 'Toen ze zeker wisten dat er geen jongen in het bedrijf zat opgesloten, hebben ze een nieuw plan gemaakt.'

'Om Ari toch nog te ontvoeren!' zei Josie. 'Bij zijn grootmoeder!'

Ze keken elkaar met grote ogen aan. Het avontuur was helemaal niet afgelopen. En Josie had gelijk. Ze gingen nog lang niet naar huis.

Ze liepen langzaam naar de oprijlaan en gingen daar op een muurtje zitten dat de slopers zeker expres hadden laten staan voor nachtelijke vergaderingen.

'Hoe weten die kidnappers dan waar Ari is?' vroeg Moerad. 'Ik loop natuurlijk een beetje achter...'

'Die ene man sprak Engels,' zei Peter. 'Maar niet goed. Stel dat het iemand uit Firdaus is, dan kan hij best veel weten over sjeik Zadeh en over Ari, en over zijn oma in Ede.'

'Misschien staat dat daar gewoon allemaal in de *Story* of zo,' zei Josie.

Yoe Lan keek bedrukt naar de grond. Als ze aan Moerad dacht die weer bij hen was, had ze zin om van puur plezier iets geks te doen, te springen en dansen. Als ze een hond was zou ze gaan kwispelen. Maar nu was Ari misschien toch in gevaar, en dat was juist weer om te janken.

'Er staat daar heus niet in de krant dat de oma van prins Ari zich niet zo lekker voelt,' zei Moerad. 'Het zijn daar geen holbewoners of zo, of middeleeuwse bergbewoners.'

'Wat bedoel je met "niet lekker"?' vroeg Peter.

'Dat ze ziek is, natuurlijk,' zei Moerad.

'Ziek??'

'Jullie hebben het er toch over dat Ari misschien naar zijn zieke oma is?'

'Weet iemand nog waar dit over gaat?' vroeg Josie. 'Want ik heb geen flauw idee.'

'Ari's oma was niet in orde, de laatste keer dat Ari er was,' zei Moerad. 'Ari wilde eerst door de week nog een keer gaan, maar hij was ook jarig woensdag, en hij ging een pyjamaparty geven.'

'Waarom heb je dat niet gezegd?' vroeg Josie.

'Dat was geheim,' zei Moerad.

'Ik bedoel dat zijn oma ziek is,' zei Josie.

'Ja, hoor eens, ik loop dus twee dagen achter, ik probeer alles te volgen, maar ik heb echt geen seconde aan Ari gedacht toen ik daar zat opgesloten met...'

'Oud brood en zweterige kaas,' zei Josie. 'Nou weten we het wel.'

'Dus zijn oma is ziek,' zei Peter. 'Dat verklaart waarom hij toch naar Ede is gegaan. Sjeik Zadeh zei dat dat niet de afspraak was.' Hij diepte het papiertje dat de sjeik hem gegeven had op uit zijn broekzak. 'Hier heb ik het nummer van Ari en dat van zijn oma.' Hij belde eerst Ari. 'Staat nog steeds niet aan.' Toen belde hij Ari's oma. 'Geen gehoor.'

Yoe Lan dacht aan al die zieke moeders en grootmoeders. Tjonnies moeder had niet eens geld voor een operatie. Maar de familie van Ari was rijk. Misschien lag Ari's oma in het ziekenhuis. Maar zoiets eenvoudigs hadden de anderen ook wel kunnen bedenken.

'We zouden naar Ede moeten gaan om te kijken wat er aan de hand is,' zei Moerad. 'Maar hoe komen we daar? Rijden er nog treinen om deze tijd?'

'Misschien ligt Ari's oma in het ziekenhuis,' zei Yoe Lan zacht.

Moerad lachte naar haar. 'Hé, slimmerik.'
'Natuurlijk!' zei Peter. 'Daarom neemt er niemand op! De sjeik zei dat ze niet veel uitging.'
'En zeker niet als ze ziek is,' zei Moerad.
'We zijn allemaal moe,' zei Josie, 'dus ik neem jullie niks kwalijk, maar denken jullie niet dat Ari meteen zijn vader gebeld zou hebben als zijn oma in het ziekenhuis lag?'
'Ari heeft zo'n supermobieltje,' zei Moerad. 'Hij hoeft er maar naar te kijken en dat ding belt zijn vader vanzelf.'
'Maar sjeik Zadeh verwachtte Ari pas morgen thuis,' zei Peter. 'En misschien wilde Ari hem niet ongerust maken. Of het was allemaal zo'n toestand...'
'Ze hebben ruzie,' zei Moerad. 'Ari's vader en zijn oma, al jaren.'
'Bedankt voor de informatie,' zei Josie vinnig.
'Nou moet je ophouden,' zei Moerad. 'Ik heb een verdoving gehad en ik voel me geradbraakt. Bovendien hoor je zo vaak iets in het internaat. Fiona's zus is zwanger bijvoorbeeld. Ik onthoud niet al die kletspraat hoor. Ik ben geen meisje.'
'Ha ha.'
'Ik heb een zus...' zei Otto aarzelend.
'Dat is fijn voor je,' zei Josie.
'Ze heeft een hondenuitlaatdienst,' zei Otto.
Josie keek hem geërgerd aan. 'Jij ook bedankt voor je waardevolle bijdrage.'
Woelf kwispelde. Honden uitlaten, daar was hij helemaal voor.
'Ze heeft een hele grote auto. Een soort busje, eigenlijk.'

'En daarin gaat ze ons naar Ede rijden,' zei Josie schamper.

'Precies,' antwoordde Otto onverstoorbaar.

'Geloof je 't zelf?' vroeg Josie.

'Jij kent mijn zus niet.'

'Wat jammer nou,' spotte Josie.

Otto liep naar zijn fiets. 'Ik kan beter alleen gaan, Moerad en Peter hebben geen fiets. De heren zijn met de auto gekomen.' Hij grinnikte even. 'Ik ben zo terug.'

'Wacht even,' zei Peter. Hij keek met iets van ontzag naar de slungelige jongen. 'Hebben jullie internet in het woonwagenkamp?'

'Jawel,' zei Otto. Hij keek een beetje wraakzuchtig naar Josie. 'We hebben computers op butagas, nou goed.'

'Kun je kijken of er een ziekenhuis is in Ede of in de buurt? Dan kunnen we dat bellen en vragen of Ari's oma daar ligt. Je weet maar nooit.'

Otto knikte.

'Neem iets te eten mee!' riep Moerad.

'Doe ik!' Otto reed weg alsof hij aan de Tour de France meedeed.

Ze bleven op de stoep zitten wachten op de wonderbaarlijke zus die volgens Otto midden in de nacht drie vreemde kinderen, en haar broer met zijn vriend, naar de andere kant van het land zou brengen, of in elk geval een heel stuk op weg daarheen.

'En hoe heet Ari's oma dan wel?' vroeg Josie. 'Als je naar haar gaat vragen? Stel dat Otto terugkomt met die zus van hem?'

Peter keek op zijn briefje. 'Boroin Soema.'
'Ik dacht dat ze Nederlands was,' zei Josie.
'Bruinsma dan, als je dat liever hebt,' zei Peter. 'Had je verder nog iets? Anders ga ik een dutje doen.' Hij ging op de grond liggen, legde zijn hoofd op Woelfs rug en deed zijn ogen dicht.

Woelf had geen hekel aan hokken. Hij woonde zelf in een hok, en hij beschouwde het als zijn thuis. Als er maar vaak genoeg visite langskwam, liefst met een lekker bot om aan te knagen, en als hij maar elke dag een eind mocht rennen en snuffelen, dan hoorde je hem niet klagen.

Maar een rijdend hok, dat was iets anders. Hij zat in een kleine kooi achter in de auto, en hij kon Yoe Lan ruiken maar niet likken. Bovendien hing er een lucht van andere honden in de auto, waar hij onrustig van werd en ook een beetje boos. Want hij zag ze niet. De kooien naast hem waren leeg. Hij piepte zacht.

Woelf was de enige in het gezelschap die een beetje ongelukkig was. Moerad kauwde met een verzaligd gezicht op een boterham met pindakaas, komkommer en sambal. Otto, die tevreden naast hem zat, wist wel wat zijn vriend lekker vond.

Josie zat achter Mattie, Otto's zus, en bewonderde haar blonde dreadlocks. Josie vroeg zich af of zij ze ook zou nemen.

Mattie was een jaar of twintig. Ze droeg rijlaarzen en een spijkerbroek met scheuren, hoewel dat helemaal niet meer in de mode was. Ze kauwde aan één stuk door, en als ze niet kauwde floot ze. Ze leek er geen moeite mee te hebben midden in de nacht een vrachtje kinderen uit te laten.

Peter keek op de kaartjes die Otto voor hem op internet had opgezocht en afgedrukt. Op het ene stond het ziekenhuis en op het andere het huis van Ari's oma. Er waren maar drie Bruinsma's in Ede, en Otto had bedacht dat Ari's oma waarschijnlijk geen autosloperij had en ook geen groothandel in vis, daarom had hij alleen het adres in de Boslaan opgeschreven.

Toen Mattie hen was komen ophalen op de Sartreweg had ze geen kostbare tijd verspild met praten. Ze was uit haar busje gesprongen en had haar hand opgestoken als enige groet. Daarna had ze samen met Yoe Lan Woelf opgesloten en was weggescheurd zodra iedereen in de auto zat.

'Waar precies gaan we naartoe in Ede?' vroeg ze aan Peter toen ze op de snelweg waren. 'Ik kan mijn tomtom aanzetten.'

Peter zat naast haar op de voorbank. Hij draaide zich om naar de anderen. 'Zullen we eerst naar het huis van Ari's oma rijden?' stelde hij voor. 'Misschien is ze nu wel thuis. En anders kunnen we bij de buren aanbellen om te vragen waar ze is.'

'Je hebt net nog naar haar huis gebeld,' zei Josie. 'En het is midden in de nacht. Waarom probeer je het ziekenhuis niet eerst?'

'Wat denk jij?' vroeg Peter aan Mattie.

Mattie lachte luidkeels, zo hard dat Josie achter haar ervan schrok. 'Wat denk ík? Denk jij, dat als ik kon denken, ik in deze stinkende hondenbus zou rijden in plaats van in een net kantoor met airco? Dat is wat ik denk.'

‘In een kantoor kun je helemaal niet rijden, Mat,’ zei Otto.

‘Dat bedoel ik, broertje. Eén professor per familie is genoeg.’

‘Mattie is de school uit gelopen toen ze twaalf was,’ zei Otto met iets van trots in zijn stem, ‘en ze was met geen stok meer naar binnen te krijgen, hè Mat?’

Mattie grinnikte en blies een kauwgumbel. ‘Ik moet zeggen, het is leuk om es wat anders te horen dan blaffen en grommen.’

Woelf piepte.

‘Niks persoonlijks, Woelf,’ zei Mattie. ‘Maar ik wou dat ik geld had voor een nieuwe autoradio. Dat zou een stuk schelen.’

Peter pakte zijn telefoon om het ziekenhuis te bellen. ‘Wie zal ik zeggen dat ik ben?’

‘Haar kleinzoon?’ stelde Moerad voor. ‘Als je geen familie bent vertellen ze je niks.’

‘En zeg dat het een noodgeval is,’ zei Josie. ‘Want het is nacht.’

Dat het nacht was merkten ze gauw genoeg. Peter moest zich door een heleboel antwoordapparaten en kiesmenu’s heen worstelen voordat hij een levend persoon aan de lijn kreeg. Hij hing een verhaal op over een zieke vader en een noodgeval, dat zo ingewikkeld was dat de receptioniste er genoeg van kreeg en hem doorverbond met de afdeling waar Ari’s oma lag.

Intussen waren de andere passagiers in slaap gesukkeld. Alleen Woelf was wakker en keek vol belangstelling naar de langsflitsende lichtjes.

‘Ze hebben mij altijd geleerd dat telefoons veel

sneller zijn dan auto's,' zei Mattie toen Peter eindelijk klaar was met bellen. 'Dat is weer een van hun onzinverhalen. Want hier is de afslag naar Ede al.' Ze zette haar tomtom aan.

Peter vertelde haar wat het adres was. 'Mevrouw Bruinsma ligt inderdaad in het ziekenhuis,' zei hij. 'Ze heeft een soort herseninfarct gehad, een tia. En Ari ligt veilig naast haar op een veldbed. De nachtzuster wilde hem niet wakker maken, maar ze zou morgenochtend vragen of hij me meteen belt.'

'Morgenochtend?' vroeg Mattie. 'Moeten wij dan in de auto wachten? Of heb je iets gereserveerd in het Hiltonhotel?'

'Ik ga alleen maar even kijken,' zei Peter. 'Poolshoogte nemen. Maar het klinkt allemaal goed. Misschien kunnen we straks gewoon terugrijden.'

Mattie maakte een hoofdbeweging naar de slapende passagiers op de achterbank. 'Moeten zij ook mee naar binnen?'

'Ik kan beter alleen gaan,' zei Peter. 'We kunnen moeilijk midden in de nacht met zes personen aan komen zetten. Nog afgezien van Woelf.'

'Ik ga ergens anders parkeren,' zei Mattie toen Peter uitstapte. 'Daar verderop. Je vindt me wel, hè? Hier mag ik niet staan. Tot zo meteen.'

Peter liep door de grote hal naar de receptie. Er zat nu een man achter de balie.

'Ik heb gebeld,' zei Peter. 'Het is een noodgeval. Ik kom voor mevrouw Bruinsma. Afdeling 6C kamer 28.'

Het gezicht van de nachtportier lichtte op. 'Aha, mevrouw Bruinsma. Ja, dat weet ik toevallig. Haar zoon is er. Hij kwam net toen mijn dienst begon. Dat wil zeggen, haar schoonzoon. Hij kwam voor zijn schoonmoeder, zei hij. En jij bent...?'

Peter zuchtte van opluchting. Ari's vader was er ook. De jongen was veilig. Opeens voelde hij zich doodmoe. Eigenlijk hoefde hij niet eens meer naar de afdeling te gaan. Hun werk zat erop. Ze konden naar huis en rustig gaan slapen.

'Dankuwel,' zei hij. Toen keek hij fronsend naar de man achter de balie. Er klopte iets niet. 'Zei u "schoonmoeder"?'

'Schoonmoeder,' herhaalde de portier. 'Mevrouw Bruinsma is de moeder van zijn vrouw.'

'Sprak die meneer dan Nederlands met u?'

'Hij is een Nederlander,' zei de nachtportier een beetje humeurig. 'Mevrouw Bruinsma is toch ook een Nederlandse?'

Peter dacht aan sjeik Zadeh, Ari's vader. Die sprak geen woord Nederlands. En een woord als 'schoonmoeder' zou hij niet eens uit kunnen spreken. De man die langs de balie gekomen was kon alleen maar de kidnapper zijn. Peter begon te rennen.

'Hé!' riep de portier.

'Bel de politie!' schreeuwde Peter. Hij draaide zich om. De man achter de balie verroerde zich niet.

'Een bom!' riep Peter.

Hij zag de portier in beweging komen en stapte in de lift.

Toen Mattie de auto had geparkeerd en de motor afzette werden de passagiers wakker.

'Waar is Peter?' vroeg Yoe Lan.

'Waar zijn *wíj*?' vroeg Josie.

Mattie vertelde hun dat alles in orde was, en dat Peter alleen maar even bij Ari's oma was gaan kijken. Voor alle zekerheid.

Josie maakte het portier open. 'Ik ga ook. Ik ben niet dat hele eind gekomen om in een auto op een parkeerterrein te zitten.' Ze stapte uit. 'Ga je mee, Yoe Lan?'

Yoe Lan keek naar buiten, het donker in. 'Kom Woelf,' zei ze.

'De hond komt het ziekenhuis niet in,' zei Mattie. 'Vanwege de ziektekiemen.'

'Woelf heeft geen ziektekiemen,' zei Yoe Lan.

Mattie lachte. 'Dat geloof ik graag,' zei ze. 'Maar dat weten zij daar binnen niet. Ga nu maar gauw, Josie is al onderweg.'

'Ik blijf bij jou, zus,' zei Otto. Hij kroop over de stoelleuning naar de voorbank.

'Ik ben zo terug, Woelf,' zei Yoe Lan. 'Ik ga alleen maar...' Ze keek verschrikt op. Josie kwam terugrennen naar de auto en rukte het achterportier open.

'Maak Woelf los!' zei ze buiten adem. 'De Volvo!'

'Volvo?' vroeg Mattie.

Otto begreep het meteen. 'De kidnappers zijn hier,' zei hij tegen haar. 'We hebben hun kenteken genoteerd.'

Josie wees waar de auto stond. 'Wij gaan naar Ari's oma. Jullie moeten de Volvo in de gaten houden. Er zit een man in.'

'Zullen we hem overvallen?' vroeg Otto. 'We zijn met z'n vijven, Woelf meegerekend.'

'Misschien is Peter in gevaar,' zei Josie. 'Die andere man is vast en zeker naar binnen gegaan.'

'Als de kidnapper naar buiten komt met Ari zullen wij hem tegenhouden,' zei Mattie. 'Doe dat mes weg, Otto. Geen stommiteiten.'

'Een lekke band is altijd meegenomen,' zei Otto met een grijns. 'Dan komen ze niet ver. Gaan jullie maar, dan sluip ik over de grond naar de Volvo.'

'Mattie, bel de politie, alsjeblieft,' zei Josie. 'Kom, Yoe Lan, kom Woelf.' Ze holden weg.

Peter rende over de halfdonkere, doodstille gangen van afdeling 6C. Er was geen verpleging te zien. De afdelingspost halverwege de gang was leeg.

Peter deed voorzichtig de deur van kamer 28 open. In het zwakke licht van een nachtlamp zag hij het bed met de oude vrouw erin. Alleen haar hoofd kwam boven het laken uit. Ze lag met haar ogen dicht. Rechts van haar stond een beslapen veldbed, dat nu leeg was. Links naast het bed stond een infuushouder, een hoge standaard op drie wiebelige poten. Nog meer naar links, bij het raam, stond Ari naast een man. Die had zijn arm om Ari's schouders geslagen en glimlachte naar Peter.

'Dag Ari,' zei Peter. 'Alles goed?'

'Dag Peter,' zei Ari. 'Ken je mijn vader?'

'Nee,' zei Peter. *Maar dit is hem niet*, dacht hij. En als Ari daar toch zo rustig naast hem stond, dan had de man hem in zijn macht. Met een pistool of mes dat hij tegen zijn rug hield.

'Je zult wel denken, wat komt die nou doen...' zei Peter om tijd te rekken.

'Ploing!' De infuusstandaard viel om en kwam kletterend op de vloer neer. De man liet Ari los en sprong opzij. Peter zag dat hij inderdaad een mes in zijn hand had.

Ari sprong ook opzij. Hij pakte een tafeltje dat bij het raam stond en hield het als een schild voor zich. De vaas met bloemen die erop had gestaan viel in duizend stukjes.

Peter spande zijn spieren om op de man af te springen, maar hij was al te laat. De kidnapper had een nieuwe prooi gevonden, of in elk geval een gijzelaar. Hij hield het mes met de scherpe punt tegen de keel van Ari's oma.

'Zo, ouwetje,' zei hij zonder Peter en Ari uit het oog te verliezen, 'jij bent nog niet zo dood als je lijkt hè?' Hij gaf een trap tegen de omvergeduwde infuusstandaard. 'Nou, je bent er geweest, als je lieve kleinzoon en zijn vriendje niet precies doen wat ik zeg.'

Oma hield haar ogen nog steeds gesloten. Was het infuus toch vanzelf omgevallen? Maar haar rechterarm, die eerst onder de deken had gelegen, lag er nu bovenop.

Peter maakte zichzelf verwijten. Waarom hadden ze niet gewoon op de politie gewacht? Als Ari's oma doodging was het zijn schuld.

'De politie is al gebeld,' zei hij zo rustig als hij kon. 'Ik zou er geen moord van maken, als ik u was.'

'Als de politie gebeld is, wat doe jij dan hier?' vroeg de man smalend.

De deur piepte.

'Daar zijn ze al,' zei Peter.

De kidnapper drukte zijn mes stevig tegen de keel van de oude zieke vrouw. De deur vloog open. De man aarzelde een seconde te lang. Een gevaarlijk zwart monster, en misschien ook nog vol met ziektekiemen, vloog naar binnen. Woelf stortte zich op de vijand, want zijn baasje had heel zachtjes 'pak ze' gezegd.

Er flitste een mes. Woelf jankte één keer, hoog en hard. Toen sprong er nog een monster naar binnen. Josie sloeg de man met zijn hoofd tegen het metalen bed. Moerad griste het mes uit zijn handen en klemde zich aan één arm vast, terwijl Peter de andere arm pakte. Josie griste een rol verbandgaas van het nachtkastje en bond één hand van de man aan het bed vast. Ze was goed in knopen leggen, dat had ze op zeilles geleerd.

Ari stond nog steeds bewegingloos bij het raam, met het tafeltje voor zich.

Josie keek naar hem. 'Zeker personeel gewend, hè?' zei ze hatelijk.

Yoe Lan knielde naast Woelf. De kidnapper had hem in zijn achterpoot gestoken. Er zat bloed op zijn vacht en er lag ook een beetje bloed op de grond.

Ari's oma keek over de rand van het bed. 'Wat gezellig,' zei ze. 'Ik heb opeens een heleboel bezoek. Maar waarom smeren jullie alles onder het bloed? Dat mag niet van de zuster, hoor.'

Toen ging ze uitgeput, maar met een tevreden glimlach, weer liggen.

Ze reden met zijn achten, als je Woelf meetelde, terug naar Amsterdam. Het begon al licht te worden. Ari had afscheid genomen van zijn oma en was ook meegekomen.

'Daar hebben jullie lang over gedaan,' zei Mattie. 'Ik heb wel twee uur geslapen.' Terwijl ze instapten hadden ze haar heel in het kort verteld wat er gebeurd was.

Otto gaapte. 'En ik kreeg helemaal geen kans om te slapen! Ik moest de wacht houden, tot de politie eindelijk kwam om mijn mannetje in te rekenen.' Hij grinnikte voldaan. 'Jullie hadden me moeten zien, als een echte *commando* ben ik naar die auto geslopen. En zo'n autoband is taai, man! Gelukkig help ik mijn neef met omkatten dus ik weet veel van auto's.'

'Wat is omkatten?' vroeg Yoe Lan. Ze aaide Woelf die aan haar voeten lag. Voor deze keer mocht dat van Mattie, omdat hij gewond was. De nachtzuster had de wond ontsmet. Het mes was langs de vacht geschampt en had maar een oppervlakkige snee gemaakt. De zuster had niets gezegd over ziektekiemen.

'Omkatten is als je een gestolen auto in een nieuw jasje steekt,' zei Otto. 'Dat ie er anders uitziet.'

'Is dat niet verboden?' vroeg Yoe Lan met grote ogen.

Otto haalde zijn schouders op. 'Iemand moet het toch doen.'

'De politie kwam pas aanzetten toen wij die vent onder controle hadden,' zei Josie. 'Maar toen had je ze bezig moeten zien! Echt alles schrijven ze op, een heel boek maken ze ervan. En wij maar wachten.'

'En waren die mannen daar ook, bij dat verhoor?' vroeg Mattie.

'Die hebben ze afgevoerd,' zei Peter.

'Eerst moesten we kijken of we die andere man herkenden,' zei Josie, 'die in de auto was blijven wachten. Maar dat was niet zo. Het zou die man van bij Tjonnies bedrijf kunnen zijn, maar zeker weet ik het niet.'

'Hoe wisten ze dat Ari's oma in het ziekenhuis lag?' vroeg Mattie.

'Ze waren naar Ede gereden,' vertelde Moerad, 'en toen heeft een buurvrouw die de hond uitliet gezegd dat mevrouw Bruinsma in het ziekenhuis lag. Ze hebben gewacht tot het nacht was en er weinig personeel op de afdeling zou zijn.'

'Maar waarom is die Firdausi-man niet naar binnen gegaan?' vroeg Otto. 'Die kon toch doorgaan voor sjeik Zadeh?'

Peter lachte. 'Ja, en dan had ik niet begrepen dat de kidnapper binnen was. Dan waren wij gewoon teruggereden naar huis en dan was Ari meegenomen! Maar ze wisten niet dat wij ze op het spoor waren, ze wisten helemaal niets van ons af. En Charlie dacht dat hij als Nederlander meer kans maakte er bij de portier doorgelaten te worden.'

'Nou,' zei Ari, die een beetje stilletjes in zijn hoekje

had gezeten. 'Ik bel mijn vader even dat we onderweg zijn.' Hij haalde zijn mobiel tevoorschijn.

'Ari!' zei Peter verontwaardigd. 'Je hebt je telefoon gewoon bij je!'

'Daar zijn ze voor, dacht ik,' zei Ari uit de hoogte. 'Kijk Peter, dit is het allerlichtste draagbare modelletje.'

'En jij bent het allerzwaarste geval van een ondraaglijk modelletje,' zei Josie fel. 'Waarom heb je gisteren je vader niet gebeld, waarom heb je hem niet laten weten dat je oma ziek was, en waarom...'

'Dat hoef ik jou niet te vertellen,' zei Ari op prinselijk hooghartige toon.

'Ik ben je hofdame niet,' begon Josie, maar de rest van haar woorden vloog samen met haar hoofd een flink stuk naar voren, toen Mattie op de rem ging staan.

Ze keken allemaal of er overstekend wild op de rustige landweg stond, maar er was niets te zien.

'Eruit,' zei Mattie rustig maar op dreigende toon.

'Hè?'

Mattie draaide zich om naar Ari. 'Wij komen ons warme bed uit om jou te redden, wij rijden het halve land door en vechten met enge mannen, en dat allemaal om een verwaande snotneus met kapsones uit de nesten te halen. Ik kan misschien niet leren maar ik heb wel wat te zeggen. En wat ik nu zeg is: eruit, en ga maar lopen naar huis.'

Moerad deed het portier voor Ari open. 'Vraag je pappie maar of hij een helikopter stuurt om je op te halen. Als je hem kunt uitleggen waar je bent.' Hij duwde Ari de auto uit.

‘Er zit vast een tomtom op dat supermobieltje van je!’ riep Josie. ‘Bel maar een taxi!’

Mattie gaf gas en scheurde weg.

Ze reden een tijdje in stilte. Yoe Lan dacht aan de jongen op de eenzame landweg zo ver van de bewoonde wereld, en ze kreeg tranen in haar ogen. Naast zich hoorde ze ook gesnik. Ze keek opzij. Josie, Moerad en Otto lagen dubbel van het lachen. En Mattie en Peter zaten verdacht te schudden op de voorbank. En deze keer maakte Woelf geen aanstalten om zijn treurende baasje te troosten. Hij was aangestoken door de algemene vrolijkheid en roffelde met zijn staart op de vloer van het busje.

Bij de eerste zijweg draaide Mattie om. Toen ze Ari tegemoet reden zagen ze dat hij hoopvol bleef staan en zwaaide, maar Mattie reed nog een flink eind door voor ze de auto weer keerde.

‘Hoogheid, uw koets,’ riep Moerad toen hij de deur voor Ari opende.

‘Genoeg geplaagd,’ zei Peter. ‘En, Ari?’

‘Ik kon mijn vader niet bellen,’ zei Ari toen hij zijn gordel had vastgemaakt en ze weer op weg waren. ‘Ik was bang. Er was al een keer ’s nachts iemand op mijn kamer geweest om me te kidnappen.’

‘In het internaat?’ vroeg Peter.

‘Dinsdagnacht, voor de vakantie.’

‘Waarom weet niemand daar iets van?’

Ari vertelde wat er gebeurd was op het pyjamafeestje. ‘Iedereen moest beloven zijn mond erover te houden. Ik wilde niet dat de huisvader het te weten kwam.’

'Was je bang voor straf? Ik dacht dat jij alles mocht.'
'Sommige jongens hebben strenge ouders. Maar daar ging het niet om.'
'Nee?'
'Ik verdacht Siroes, mijn chauffeur, ervan dat hij er iets mee te maken had. Hij is de enige persoon van buiten die precies weet waar mijn kamer is, omdat ik hem mijn bagage binnen laat brengen.'
'Je bagage!' zei Josie verontwaardigd. 'Dat heb je er nou van als je zo verwend bent.'
Ari keek uit het raam en besloot dat hij liever met de anderen meereed dan in zijn eentje buiten te moeten staan. Daarom hield hij wijselijk zijn mond en reageerde niet op Josie.
'Komt de chauffeur uit Firdaus?' vroeg Peter.
Ari knikte. 'Hij rijdt mij in het weekend naar mijn oma, en hij vervoert mijn vader als die in Nederland is. Toen mijn moeder nog leefde hadden we een heel groot huis, een stadsvilla aan het water, in West, en Siroes paste op ons als mijn vader weg was. Die was altijd op reis. Siroes woonde in de aanbouw, hij was butler, tuinman, manusje-van-alles en chauffeur.'
'Waarom woonden jullie niet in Firdaus?' vroeg Yoe Lan.
'Mijn moeder hield het er niet uit. En mijn oma... mijn vader zegt dat die haar tegen hem opstookte. In elk geval hadden mijn oma en hij altijd ruzie. En toen mijn moeder overleden was wilde ik ook niet in Firdaus wonen. De vakanties zijn al erg genoeg. Vraag maar eens aan jullie prinsen hoe fijn het is om incognito te zijn.'

'Incognito,' zei Josie tegen Yoe Lan, 'is als niemand weet dat je een prins bent.'

'Heb je het daarom op het internaat nooit aan iemand verteld?' vroeg Moerad.

'Natuurlijk. Maar goed, als ik mijn vader over die kidnapper had verteld zou zijn chauffeur er ook over horen. Want mijn vader zou mij vast niet geloven, en meteen de chauffeur bellen om hem te vragen of hij er iets mee te maken had.'

'Leuke vader heb jij,' zei Josie.

'Hoe dan ook, ik heb mijn vader zaterdag niet gebeld, en ik heb een taxi genomen naar mijn oma, zodat onze chauffeur niet zou weten dat ik daar was. Toen ik er net was kreeg ze die hersenbloeding, en het was allemaal heel spannend en druk, en ik wilde wachten met mijn vader te bellen tot ik wist of mijn oma weer in orde was. Er was ook geen haast bij. Hij verwachtte mij pas de volgende dag. Bovendien had ik geen zin ertussen te zitten als die twee aan het kijven waren.'

'Maar je oma is ziek!' zei Peter.

'O ja?' Ari snoof. 'Ze is gezond genoeg om met een infuus te smijten... je had het moeten zien! Opeens kwam daar zo'n mager armpje onder de dekens vandaan en hop! Daar ging dat apparaat tegen de grond!'

Hij haalde voor de tweede keer zijn mobiel tevoorschijn. 'En nu zou ik heel graag mijn vader bellen. Ik zal hem voor de zekerheid waarschuwen voor zijn chauffeur.'

'Waarom zou je vader je nu wel geloven?' vroeg Moerad.

'Omdat Ari intussen verdwenen is, sukkel,' zei Josie.

'Sukkel, sukkel, je hebt zelf een pukkel,' zei Moerad.
'Er is intussen toch van alles gebeurd,' zei Josie kattig. 'Woensdag was er nog geen vuiltje aan de lucht.'
'Nee, het was heel mooi weer,' zei Yoe Lan onnozel, om de anderen aan het lachen te maken. Ze hield niet van ruzie.
'Ik vergeef je, Josie,' zei Moerad plechtig, 'omdat ik gevangen heb gezeten, op water en brood en vieze kaas, en jouw gescheld, daar sta ik boven.'
'Amen,' zei Otto.
Toen luisterden ze slaperig naar het opgewonden verhaal dat Ari afstak tegen zijn vader. Jammer genoeg was het in het Firdausi, en konden ze er geen woord van verstaan.

Ze sliepen de hele verdere terugweg, en ze werden pas wakker toen ze voor de ingang van het internaat stonden.

'Waar is Ari?' vroeg Josie verbaasd.

'Die heb ik afgezet bij het hotel van zijn vader,' zei Mattie. 'En waar moet de hond naartoe?'

'Naar de boerderij,' zei Otto. 'Ik weet waar het is.'

Yoe Lan nam afscheid van Woelf. Ze hoopte maar dat de boer de volgende ochtend niet zou zien dat de herder gewond was geraakt. En anders moest ze iets bedenken wat ze hem zou vertellen. Maar nu was ze daar te moe voor.

Peter had een sleutel van het huis bij zich. Hij legde een briefje neer voor Roeland, dat hij laat was thuisgekomen en de anderen had gewekt om bij te praten. Hij schreef er ook op dat ze Moerad gevonden hadden, dat Ari terug was bij zijn vader, en dat ze wilden uitslapen.

Ze kropen in bed en sliepen de hele middag. Ze werden wakker van heerlijke geuren, maar dat moest een droom zijn want Kokkie was er niet in de vakantie. En als de huisvader kookte was het waarschijnlijker dat ze werden gewekt door aanbrandalarm.

Maar Kokkie was er wel. Ze stuurde Josie, die het eerst beneden was, naar boven om de anderen te halen. 'We moeten gauw naar de keuken,' zei ze tegen Peter, Moerad en Yoe Lan. 'Kokkie wil even alleen met ons praten.'

'Anders ik wel met haar,' bromde Peter.

Ze kleedden zich snel aan en gingen naar beneden.

Kokkie stond tussen haar 'potten en pannen' zoals ze zelf altijd zei. Een grote schaal met stukken kip stond te dampen op het aanrecht.

'O nee, hè,' zei Moerad. 'Dat is niet eerlijk. Ik heb twee dagen op water en brood geleefd, en jij maakt mijn lievelingseten, en dan mag ik het niet hebben!'

Kokkie stak hem een lekkere kluif toe. 'Van de Turkse slager. Gelukkig was het koopzondag. Voortaan haal ik het vlees daar. Hij zal ook wel komen bezorgen, als ik het vraag. Want Tjonnie komt niet meer terug.'

'En als hij terugkomt vindt hij de hond in de pot!' zei Yoe Lan.

'Ik wil jullie bedanken dat jullie hem niet hebben aangegeven,' zei Kokkie. 'Hij was fout, maar... Ik heb hem aan de telefoon gehad. Hij heeft me gezworen dat hij niet wist dat het om ontvoering ging. En toen hij het wist heeft hij alles gedaan om Moerad in veiligheid te brengen. Zijn moeder zal nu wel niet meer beter worden.' Ze zuchtte. 'In elk geval zijn ze straks bij elkaar.'

Niemand zei iets. Ze waren nog steeds boos op Tjonnie, maar ze wilden hun eigen Kokkie niet voor het hoofd stoten. Vooral niet nu ze verdriet had over haar zus die niet kwam.

'Luid de etensbel maar, Yoe Lan,' zei Kokkie. 'Ik

heb speciaal voor de gelegenheid een lekkere maaltijd gemaakt. O, daar is de rest ook.'

Door de open keukendeur zagen ze sjeik Zadeh en Ari door de gang lopen. Ze liepen achter hen aan naar de eetzaal. De tafel was gedekt voor een feestmaal.

Kokkie plaatste sjeik Zadeh aan het hoofd van de tafel, met zijn zoon naast zich, en voor hem zette ze een grote schotel kip met amandelen, olijven en pruimen, een gerecht waarvan Kokkie zeker hoopte dat het echt Firdausi-eten was.

'Aanvallen!' riep Moerad, die al een voorproefje gehad had van het lekkere eten. Maar dat viel vies tegen, want op dat moment kwam Roel binnen. 'Jij moet meteen je vader bellen,' zei hij. 'Op dit nummer.'

'Later?' smeekte Moerad die zijn blik strak op de schaal met eten gericht hield, alsof die elk ogenblik weg zou kunnen wandelen en van tafel springen.

'Hij wilde eigenlijk dat ik je wakker maakte.'

'O, maar ik slaap nog steeds,' zei Moerad.

'Meteen,' zei de huisvader, die maar eens per jaar zijn bijnaam 'Razende Roel' waarmaakte, en op het punt stond dat nu te doen.

'Voor ons hoef je je niet te haasten hoor, Moerad,' zei Josie plagend, 'wij scheppen wel vast op.'

'Waarom is heel Argentinië naar mij op zoek?' bulderde Moerads vader zodra hij had opgenomen. 'De indianenstammen in het oerwoud moesten rooksignalen naar elkaar sturen! En waarom? Om door te geven dat ik dringend gezocht werd! In verband met een noodsituatie! En als ik dan eindelijk terug ben in de bewoonde wereld is het vals alarm, en ligt meneer te slapen! Op zondagmiddag! Klinkt dat als een noodsituatie?'

Moerads vader sloeg wel eens een beetje op hol. En nu zat Moerad in een lastig parket. Als hij vertelde dat hij ontvoerd was, zou zijn vader onmiddellijk naar Nederland vliegen en Moerad uit het tehuis halen, om hem bij zich te houden en voortaan goed op hem te letten.

Als Moerad zei dat er niets aan de hand was, zou zijn vader onmiddellijk naar Nederland vliegen, en hem geweldig op zijn donder geven omdat hij voor niets zo ongerust was geweest.

'Vader,' zei hij, 'in het tehuis dachten ze dat ik ontvoerd was. Voor losgeld.'

'Wat is dat voor onzin!' bulderde zijn vader. 'We zijn hier niet in Zuid-Amerika, in een bananenrepubliek!'

Moerad kon niet vragen wat een bananenrepubliek was, want zijn vader praatte maar door, om zijn opluchting te verbergen dat zijn zoon veilig was. 'Nou ja,' ratelde hij, 'ík ben natuurlijk wel in Zuid-Amerika, maar jij niet. Dus waar heb je het over?'

'Er is een jongen ontvoerd,' zei Moerad geduldig, 'de neef van de sultan van Firdaus.'

Tot zijn verbazing begon zijn vader luid te lachen. 'Ha, dat zijn slimmeriken, die kidnappers! De sultan van Firdaus, die zwemt in de olie!'

'Maar ze dachten dat ik het was,' zei Moerad, 'het is te ingewikkeld om uit te leggen.' Vooral als je me steeds onderbreekt, dacht hij erachteraan. Maar zoiets moest je tegen zijn vader niet zeggen.

'Dus je was niet ontvoerd?' vroeg zijn vader.

'Niet echt,' zei Moerad. 'Kan ik nu aan tafel? Ze wachten op me.' Dat waren twee onwaarheden achter elkaar, maar Moerads vader was tenminste gekalmeerd. Hij zou niet naar het tehuis komen om Moerad daar weg te halen, of om hem straf te geven.

Moerad rende terug naar de eetkamer. Kokkie had een plaatje onder de schaal gezet om het eten warm te houden.

'We hebben gewacht...' begon Peter.

Moerad keek naar de borden, die leeg waren op een paar botjes na. 'Daar zie ik niks van.'

Peter maakte zijn zin af. '... gewacht met bespreken wat er allemaal gebeurd is. Ik zal nu vertalen wat sjeik Zadeh verteld heeft. Hij heeft met de politie gesproken gisteren. Siroes, zijn chauffeur, zat niet in het complot. Maar de ene kidnapper was wel zijn broer. En alle informatie die ze hadden hebben ze van hem. De chauffeur is ontslagen.'

'Dus er waren drie mannen bij de ontvoering betrokken?' vroeg Josie.

Peter keek naar Kokkie en toen naar Josie. 'Het was een Nederlandse man, geen onbekende van de politie trouwens, en de man uit Firdaus, de broer van de chauffeur. Dat zijn er dus twee.'

'Maar...' begon Yoe Lan.

'Geen domme dingen zeggen,' snauwde Josie tegen haar.

Yoe Lan keek geschrokken naar Kokkie. Ze had bijna Tjonnie verraden.

'Domme dingen zeggen, dat laten we aan Josie over,' zei Moerad.

'En Jaap heeft gebeld,' zei Peter vlug.

'Wat zei hij?' 'Was hij al terug?' Ze praatten allemaal door elkaar, opgelucht dat het gevaarlijke onderwerp 'Tjonnie' van de baan was en dat niemand zijn of haar mond voorbij had gepraat.

'Wie is Jaap?' vroeg Ari.

'Jaap werkt bij de recherche,' zei Peter. 'Het is een vriend van ons. Jaap zei dat hij blij was dat hij op huwelijksreis kon gaan zonder dat de boel in de soep liep. En toen zei ik dat hij dat wat mij betreft gerust nog eens mocht doen. En toen moest hij lachen.'

'Waarom?' vroeg Yoe Lan.

'Jij snapt ook niks,' vitte Josie.

Moerad gaf haar een trap.

Josie sloeg met haar vork op zijn hand.

'Hé!' riep de huisvader.

Kokkie stond op. 'Wie lust er ijs toe?'

Ze hielpen met afruimen en toen ze allemaal achter een enorm bord ijs zaten, met vruchten en chocoladesaus, nam sjeik Zadeh het woord. Peter vertaalde.

'Ik wil jullie belonen omdat jullie Ari gered hebben,' zei de sjeik. 'Het geeft niet wat het is, jullie wens wordt vervuld. Elk een eigen computer? Een nieuwe fiets?'

'Fiets!' zei Josie. Ze sloeg haar hand voor haar mond.

'Wil je een fiets?' vroeg sjeik Zadeh.

'Ik heb een fiets,' zei Josie. Haar fiets stond nog bij het bedrijventerrein aan de Sartreweg, samen met die van Yoe Lan. Die was ze glad vergeten. Maar nu kon ze er beter niets over zeggen. Roel maakte zich niet zo gauw ongerust over de kinderen en hun avonturen, maar een fiets die niet veilig in de stalling achter het tehuis stond, daar kon hij niet tegen.

'Een zwembadje in de tuin? Het mag ook een hond voor jullie zelf zijn,' zei sjeik Zadeh. Ari had hem over de heldendaden van Woelf verteld.

'Hond?' vroeg Roel.

'Een zwembad in de tuin, brrr,' zei Josie vlug. 'Daar is het hier toch veel te koud voor.'

'Voor de zeemeermin zou het fijn zijn,' zei Yoe Lan.

'Ik denk dat Otto wel een nieuwe fiets zou willen,' zei Moerad. 'Hij heeft ons al die tijd geholpen.'

'En zijn zus ook,' zei Josie. 'Ik weet wat Mattie wil hebben. Een autoradio. Die van haar is stuk. En ze heeft alleen honden om tegen te praten.'

'Het komt voor elkaar,' zei sjeik Zadeh.

'Misschien komen we een keer bij u logeren in Firdaus,' zei Peter voor de grap. 'Dan willen we wel graag gaan zwemmen.'

Sjeik Zadeh spreidde zijn armen uit. 'Jullie zijn van harte welkom in ons familiepaleis. Jullie zijn als mijn kinderen. Maar doe nu een wens.'

'Ik weet wat,' zei Yoe Lan. Ze werd rood. 'Maar het is niet voor ons. Het is voor Kokkie.'

'Een wens is een wens,' zei de sjeik vriendelijk, toen Peter hem verteld had wat Yoe Lan had gezegd.

'Een reis naar Suriname,' fluisterde Yoe Lan. 'Om haar grote zus te zien. Want die mag niet hier komen.'

'Die mag best hier komen,' zei Roel verbaasd. 'Je zus is van harte welkom, hoor Kokkie.'

Maar Kokkie antwoordde niet. Ze begon de dessertbordjes op te stapelen.

'Ze krijgt geen vies... geen vies...' probeerde Yoe Lan.

'Geen visum,' zei Peter.

Kokkie was de eetkamer uitgelopen.

'Is ze boos?' vroeg Yoe Lan angstig. Wat was het stom van haar geweest om over Kokkies zus te beginnen.

'*Just a minute*,' zei Peter tegen de sjeik. Hij stond op en liep van tafel. Josie, Moerad en Yoe Lan liepen achter hem aan. Ari wilde ook meekomen, maar Moerad hield hem tegen.

Kokkie stond bij het aanrecht. Ze snoof alsof ze plotseling verkouden was geworden, en haar ogen glansden verdacht.

'Het spijt me,' mompelde Yoe Lan. 'Ik dacht...'

'Spijt?' Kokkie liep naar Yoe Lan toe en sloeg haar armen om haar heen. 'Ach, mi gudu, jij hoeft geen spijt te hebben. Maar ik kan het niet aannemen. En ik heb het geld niet nodig.' Ze liet Yoe Lan los en keek de kinderen om beurten aan. 'Maar ik heb wel een wens.'

Ze hoefde niets meer te zeggen. Ze wisten alle vier hoe het avontuur begonnen was. Tenminste een deel van het avontuur. Dat was begonnen bij Kokkies oude onderwijzeres in Nickerie, die geen geld had voor haar operatie.

'Jullie zijn natuurlijk boos op Tjonnie,' zei Kokkie. 'Dat begrijp ik.'

'Ja,' zei Peter. 'Hij heeft me een flinke dreun verkocht.'

‘En mij heeft hij opgesloten,’ zei Moerad. ‘Met een stuk oud brood en...’

‘De hond in de pot,’ zei Yoe Lan. ‘Geen leuke grap.’

‘Maar hij heeft Moerad niet in handen van die twee griezels gegeven,’ zei Josie.

‘Het gaat om zijn moeder,’ zei Peter. ‘Niet om hem. En ze moet geopereerd worden.’

‘Weten jullie het zeker?’ vroeg Kokkie. ‘Geen fiets? Computer? Zwembad?’

Ze knikten alle vier.

Kokkie droogde haar ogen en liep achter hen aan naar de eetkamer.

‘Wij hebben een oude vriendin,’ zei Peter tegen sjeik Zadeh. ‘Het is een lang verhaal. Ze woont in Suriname. Eigenlijk is het een vriendin van Kokkie.’

Toen richtte Kokkie zich tot de sjeik. Peter vertaalde wat ze zei.

‘Het gaat om mijn vroegere onderwijzeres,’ zei Kokkie. ‘Zij heeft me geholpen toen ik naar de middelbare school wilde. Ze moet geopereerd worden maar er is geen geld. Er is een chirurg in de hoofdstad, een oud-leerling van haar, die het gratis doet.’

‘*I see*,’ zei de sjeik.

‘Maar het verblijf in het ziekenhuis, het gebruik van de operatiekamer en het salaris van het personeel moeten betaald worden. Het zal wel minder kosten dan een zwembad.’ Kokkie snoot haar neus in een zakdoekje dat ze in haar schortzak had gestopt.

‘Als dat jullie wens is, dan wordt die vervuld,’ zei de sjeik. ‘Mevrouw Kokkie, geef me de naam en het adres van die dame en het komt voor elkaar.’

Sjeik Zadeh vertrok naar zijn hotel. Hij moest van alles regelen voordat hij de volgende dag met zijn zoon zou afreizen naar Firdaus.

'Gaat u een nieuwe chauffeur zoeken?' vroeg Peter.

Maar de prins hield het voorlopig liever even op taxi's.

Ze zwaaiden hem uit.

En dat was het staartje van hun avontuur. Het was afgelopen.

Bijna.

Want een week of zes later kwam er een groot pakket uit Suriname. Boven het adres stond: *Aan Peter en zijn vrienden*. In het pak zat een pop in Surinaamse klederdracht voor Yoe Lan, Josie kreeg een tropische pareo voor aan het strand, er was een houten pennenbak in de vorm van een indiaanse kano, een *korjaal*, voor Moerad, en een fotoboek van Suriname voor Peter. Iemand die hen heel goed kende had zeker advies gegeven over de cadeaus.

Er was ook een brief bij.

Lieve vrienden,

Het stortregent als een sibibusi, een vergiet. Ik zit op mijn veranda op een schommelstoel. Ik kan al weer een beetje schommelen. Na regen komt zonneschijn.
Mijn zoon Tjonnie is bij me komen wonen. Hij is een afhaalrestaurantje begonnen. Ik hoop dat hij nu bij me blijft. Hij is mijn oogappel.
De operatie is goed geslaagd. Over een paar weken kan ik

weer lopen, en dan ga ik naar de markt om mijn poppetjes te verkopen.
Als Tjonnie en ik genoeg gespaard hebben, nodigen we jullie uit om ons op te zoeken. Ik verlang ernaar om jullie te leren kennen. Het geld voor de operatie was welkom, maar vooral hebben jullie me hoop gegeven, dat de mensen en kinderen op de wereld elkaar willen helpen.
Nu ga ik weer achter de naaimachine zitten.
Wroko de. Dat betekent: er is werk aan de winkel.

De moeder van Tjonnie.

En dat was het puntje van het staartje van hun avontuur.

Lees ook de andere avonturen van de
Bende van de Zwarte Hond.

Het geheim van het gestolen grafbeeld

Yoe Lan speelt bij een vriendin op de zolder boven een Chinees restaurant. Daar vindt ze, in een geheimzinnige kist, een mooi oud beeld. Op de kist staat *Rijksmuseum*. Zou het beeld gestolen zijn? En door wie dan? Dat willen Yoe Lan en haar vrienden Peter, Moerad en Josie wel eens uitzoeken.

Maar wat er dan gebeurt is nog veel geheimzinniger en gevaarlijker dan ze al dachten. Gelukkig krijgen ze hulp van hun dappere hond Woelf.

De verdwenen diamanten

Een verlaten boerderij, een dreigende man op een motor, een weggelopen weesmeisje met een zeer waardevol geheim... In dit tweede boek over de Bende van de Zwarte Hond beleven Peter, Josie, Moerad en Yoe Lan weer een spannend avontuur. En wie redt ze als ze in gevaar zijn? Woelf natuurlijk, hun dappere herdershond.

Uitgeverij Querido stelt alles in het werk om op milieuvriendelijke en duurzame wijze met natuurlijke bronnen om te gaan. Bij de productie van dit boek is gebruikgemaakt van papier dat het keurmerk van de Forest Stewardship Council (FSC) mag dragen. Bij dit papier is het zeker dat de productie niet tot bosvernietiging heeft geleid.